JN030381

LaTeX超入門

ゼロからはじめる理系の文書作成術

水谷正大　著

ブルーバックス

装幀／芦澤泰偉・児崎雅淑
目次・章扉デザイン／齋藤ひさの

はじめに

LaTeX というコンピュータ文書作成システムをご存知でしょうか（「ラテック」または「ラテフ」などと読みます）。複雑な数式を含むレポートや、必要な情報を指定された様式に従って記述する学術論文、目次・索引が必要な書籍など特に理系の文書を作成するために世界中で利用されているツールです。

LaTeX がどのようなものかよく知らないという方は、本書の第 1 章を眺めてみてください。LaTeX の提供するさまざまな機能を簡単に紹介しています。また、本書自体も LaTeX によって作成されています。

本書は、LaTeX という名前は聞いたことがあるけど何ができるのかはよくわからないとか、LaTeX が使えるパソコンのシステムを整えることが難しそうだとか、以前に LaTeX に挑戦したけれど諦めてしまった、どのように作業すればよいのかわからないといった読者に向けて書かれています。

今日ではパソコンで文書を作成する機会は多くなりました。読者のみなさんも、マイクロソフトの「Microsoft Word」やジャストシステムの「一太郎」などのワープロソフト（ワードプロセッサ）や Google が提供するグーグルドキュメントを使って文書を作成したことがあると思います。

ワードプロセッサを利用した文書処理では、ご存知のようにモニタに表示されたそのものが、作成している文書となります。このような方式を WYSIWYG（What You See Is What You Get）と呼び、手軽に文書を作成できる手段で

あるという点で画期的なソフトウエアです。

　一方で、LaTeX では、入力した文字の大きさや張り込んだ画像の配置を直接観察し微調整しながら文書作成を進めることは、基本的にはできません。LaTeX は文字や張り込む画像を、その表示の仕方を含めてテキストとして入力・指示した後、さらに組版と呼ばれる処理を行って文書を作成します。

　LaTeX では組版という処理を経なければ文書の仕上がりが確認できず、しかも入力・指示などの記述の誤りによって処理エラーが発生するため、難しくて面倒だと感じるのはもっともなことです。それでも LaTeX が広く利用されている積極的な理由がいくつかあります。

　そのひとつに数式表現の美しさが挙げられますが、LaTeX 利用の利点はそれだけではありません。たとえば、自動的な目次・索引の作成や、整合性のある相互参照の構築によって文書作成のどの段階でも正しい文書が作成できること、さらには文章構造を明確にしながら文書作成が進められることなどが挙げられます。

　これらの利点は、使い始めで短い文書を書く段階では実感しにくいかもしれませんが、LaTeX を利用するうちにだんだんと理解していただけるはずです。ですから、まずは LaTeX でどんなことができるのかを気軽に体験していただければと思います。

　本書の目的は LaTeX について網羅的に紹介するのではなく、LaTeX の知識やシステムのインストールに格別な技術を持たない読者を対象にして、LaTeX がすぐに利用できるようにお手伝いし、限られた話題を提供して広く豊かな LaTeX の世界の入り口に案内することです。

本書を読んで LaTeX に対する理解を深め、日常的に LaTeX を活用するきっかけとしていただければたいへん嬉しいです。

目次

第 **1** 章

LaTeXにできること

a *b* *c* *d*

パソコンを使った文書作成はいまや欠かせない手段となっていますが、必要な情報を過不足なく含み、読みやすくレイアウトされた文書を作成することは思いのほか困難です。ワードプロセッサやプレゼンテーションツールは簡単にそれなりの文書を作成できる点で間違いなく有用なソフトウエアです。しかしながら、レポートやスライドが長大になるにつれて、フォントやレイアウトの統一性が失われたり、「図○○を参照」「○○ページを見よ」などと参照する際の整合性を保つのが難しくなってきます。また、多数の写真や図表を含んだ文書を作成すると動作が重くなって文章の推敲に手間取ったりすることもしばしば経験します。

　LaTeX は、見出しや図・表の番号の割り振りと相互参照を自動化し、さらには索引の作成も機械的に行うことで、長大な文書を常に整合性を保って正しく作成できる組版システムです。

　LaTeX には文書の様式（タイトルや作成者名のレイアウトや、見出しの大きさなど）の雛型があらかじめ準備されており、使い始めたばかりの初心者であっても比較的品質の高い文書を作成することが可能です。実際に学会論文誌への投稿や出版業務にも活用されています。特に、複雑な数式を含むような理系のレポートや論文においてその力を発揮します。

　LaTeX で作成する文書は PDF 形式のファイルとして出力されます。PDF ファイルは自由に拡大縮小ができますが、ePub 形式や Kindle 形式などの電子書籍とは違ってウィンドウ幅を変化させてもレイアウトは変わりません。

1.1　LaTeX のさまざまな表現

　ここでは、LaTeX によって実現できる表現をいくつか紹介します。

　まずは、美しい数式表現は LaTeX の大きな魅力のひとつです。たとえば根号を何重にも使った黄金比 τ を表す数式

$$\tau = \sqrt{1 + \sqrt{1 + \sqrt{1 + \cdots}}}$$

や、大きな括弧を使った行列も、

$$A = \begin{bmatrix} a_{11} & a_{12} & \ldots & a_{1n} \\ a_{21} & a_{22} & \ldots & a_{2n} \\ \vdots & \vdots & \ddots & \vdots \\ a_{n1} & a_{n2} & \ldots & a_{nn} \end{bmatrix}$$

などと美しく表示することができます。このとき、根号記号 $\sqrt{}$ の大きさや、行列内の要素の間隔などは自動的に LaTeX が判断して決定してくれます。

　また、

$$CH_3COOH \rightleftharpoons CH_3COO^- + H^+$$

のように化学式も簡単な記述で表現可能です（有機化学の化学構造式の表示などにも LaTeX を利用する試みがあります）。

　さらに、次のように図にキャプションと図番号を割り振って張り込むことも簡単です。

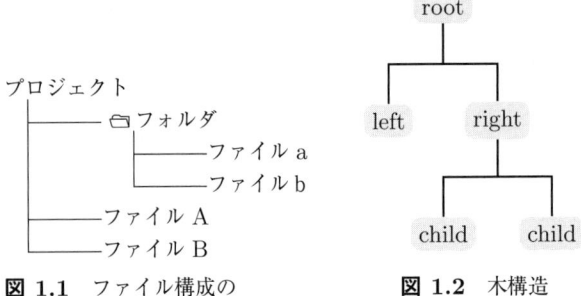

図 1.1 ファイル構成の
概念図

図 1.2 木構造

ちなみに、この図自身も LaTeX の機能によって描かれています。多少手間はかかりますが、図 1.3 のような複雑な図も描くことができます（節 10.2 で紹介する TikZ を使っています）。このように図を LaTeX によって記述することで、文書の内容に合わせて図中の文字を修正したり、一括変換することが容易になります。もちろん、JPEG や PNG などの画像を取り込むことも可能です。

LaTeX では、

文章を
右寄せにしたり

中央に
配置したり、

左寄せ
にすることもできます。

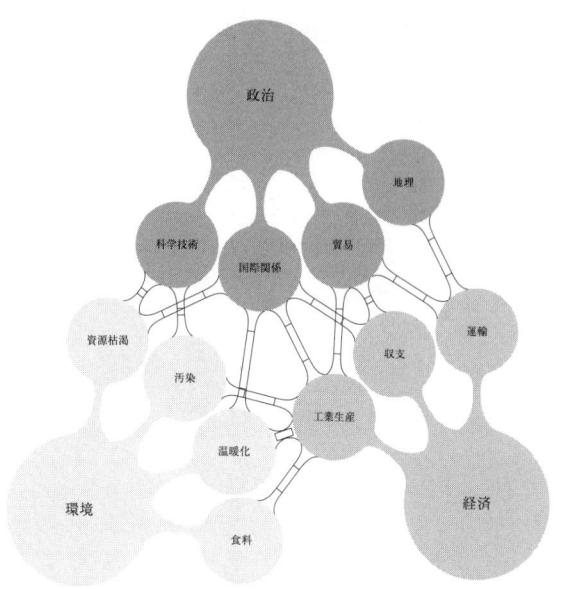

図 1.3 政治、経済、環境における相互依存性

　また、振り仮名や強調、文字を大きくしたり、小さくしたり、

- 項目 1
- 項目 2
- 項目 3

のように箇条書きにすることもできます。

本書のように横書きの文書のなかで、

アンドリュー・ワイルズによって完全に証明されたフェルマー予想とは、3以上の整数 n について

$$x^n + y^n = z^n$$

となる自然数の組 (x, y, z) は存在しないという主張である。

と縦書きにすることもできます。

　本書の目次や索引のページ番号も自動的に LaTeX システムによって取得したものです。文書の執筆の途中で章と章を入れ替えたり、あらたに加えたりした場合にも章番号やページ数を手入力で直す必要はありません。

　本書はこのように多彩な機能を持った LaTeX の使い方を初めて触れる人に向けて解説していきます。複雑な機能を使いこなすためには専門的な知識（と細部にこだわる根気）が必要ですが、ここで紹介したような表現はそれほど難しくありません。

　特に、次の章で紹介するようなクラウドサービスで使える

LATEX を用いれば、すぐにでも文書作成を始めることができます。ぜひ、自分で試しながら本書を読み進めてみてください。

1.2　本書の構成

本書の構成は以下の図のようになります。**第2章**では、インストールが不要なクラウドサービス Cloud LaTeX を使って、まず LATEX で実際に書いてみて組版する方法を紹介します。後の章では、ここで触れたそれぞれの方法について詳しく説明するという構成になっています。

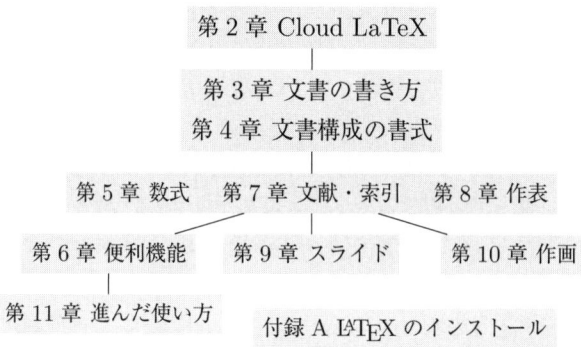

第3章では、LATEX で文書を作成していくためのファイルの基本内容やファイル構成について説明します。表題や見出しなど文書構成に関わることや、画像ファイルの張り込み方や文書内で図表として取り扱う方法について説明します。

第4章では、文書中で使われるさまざまな書式を定める LATEX 環境の使い方を説明します。引用文や箇条書きなど

の目的に応じて環境を使い分けることによって文書を首尾一貫した仕上がりとすることが可能になります。また、書体の変更、ギリシャ文字やアクセント記号など特殊な文字表記についても紹介しています。この章までを読むことによって、日常的な文書は LaTeX で自由に作成できるようになります。

第5章では LaTeX 利用の白眉のひとつである数式表現を丁寧に紹介します。教科書などで何気なく見ている $\sin x$ とか $a^2 + b^2 = c^2$ は、sin x や $sin x$ とか a^2+b^2=c^2 ではありません。数式を読みやすくしかもより美しく組版するために、通常の文章とは別種の膨大なノウハウが蓄積されてきました。TeX を作り上げたクヌース（D. Knuth）は数式の組版のためのアルゴリズムとフォントを開発し、いまや LaTeX 表現を使って誰でも手軽に本格的な数式を美しく組版できるようになりました。ここでは、アメリカ数学会による拡張パッケージを使った数式表現も紹介しました。

続く**第6章**では、LaTeX に提供されている拡張パッケージを使って一層読みやすい文章を作成するための Tips を紹介しました。LaTeX システムが出力する PDF ファイルをそのままパソコンやスマホなどで読む場合には節 6.1 のハイパーリンクの埋め込みが参考になるでしょう。文書に張り込む画像ファイルやグラフィックスのやや詳しい取り扱いは節 6.2 で紹介しています。縦書き文書に興味がある場合には節 6.4 を参考にしてください。

第7章では、レポートや論文の作成には欠かせない参考文献の取り扱いと引用の仕方、書籍の執筆にも役立つ索引の自動作成について紹介しました。インターネット情報の記載の仕方についても解説しています。

　第 8 章では、LATEX を使って表を作成する方法を紹介しました。作表は LATEX においては手間のかかる面倒な作業となりますが、必要に応じて参照してください。ここまで読むことで、LATEX を使った本格的な文書が自在に作成できるようになります。実際のレポートや論文の作成、書籍の執筆に LATEX を利用してみてください。

　第 9 章では、スライドを使ったプレゼンテーションの方法を紹介しています。LATEX ならではの数式表現を使って専用のアプリケーションに匹敵するスライドの作成が可能です。プレゼンテーションの機会があるときには是非参考にしてください。

　第 10 章では、LATEX で文書内のグラフィックスを作画する方法を紹介しました。節 10.2 の TikZ を使った作画は精緻で美しい結果を得ることができます。この章は本格的な作画の世界への入り口として用意しました。

　最後の**第 11 章**では、本書を読んでさらに LATEX の世界を知りたいと思った読者のために、数式処理システムおよびプログラミング言語と LATEX を組み合わせた使い方について紹介しました。

　付録 A では、LATEX システムのパソコンへのインストールについて簡単に紹介しました。

第 **2** 章

Cloud LaTeX で始める
LATEX

a *b* *c* *d*

Cloud LaTeX（https://cloudlatex.io/）はパソコンに LaTeX システムをインストールすることなく、Web ブラウザ経由で LaTeX 文書ファイルの作成から組版処理（コンパイルとも言います）、PDF ファイルの作成、閲覧、ダウンロードまで実現できるサービスです。大学院生・研究者のキャリア支援事業を手掛ける株式会社アカリクが運営しており、誰でも無料で利用できます。保存できるファイル容量は 1024MB（1GB）で個人用に利用するには十分な容量です。ファイルをダウンロードしてバックアップしておくこともできます。

この章では、このサービスを利用して LaTeX を使った文書作成の基本を具体的に紹介します。

2.1 Cloud LaTeX の操作

では、さっそく Cloud LaTeX を試してみましょう。まずは https://cloudlatex.io/の「新規登録」のボタン（図 2.1）から利用登録を行ってください。

使い方は簡単で、次の手順を踏みます。

1. Could LaTeX にログインする。
2. 「プロジェクト一覧」ページで 新規プロジェクト ボタン（図 2.2）をクリック。
3. プロジェクトの新規作成ダイアログ（図 2.3）に、作成する文書内容を想起させるようなプロジェクト名を入力する。ここでは「はじめての LaTeX」としておきます。
4. 作成したプロジェクト名をクリックして編集作業を始

める。

図 2.1 Cloud LaTeX の新規登録画面

図 2.2 「プロジェクト一覧」ページのメニュー

図 2.3 プロジェクトの新規作成ダイアログ

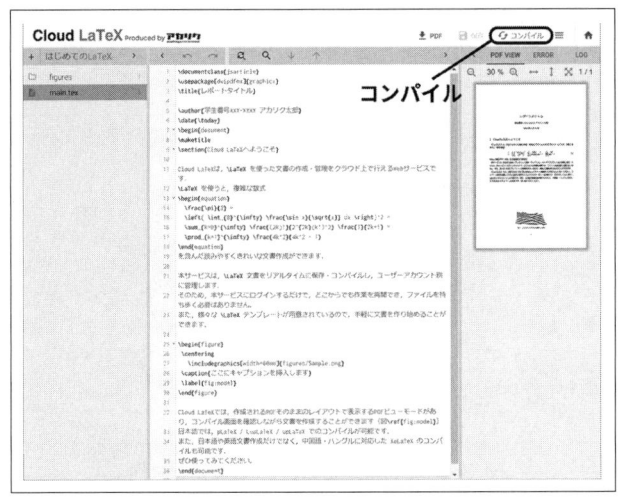

図 2.4 プロジェクト編集ウィンドウ

　作成した新しいプロジェクト（たとえば、「はじめてのLa-
TeX」）をクリックすると、図2.4のようなプロジェクト編
集ウィンドウが表示されます。

　編集ウィンドウは3つの領域（ペイン）に分割され、左ペ
インに文書作成で利用する**ファイル構成**、中央ペインに左ペ
インで選んだファイルの**ソース編集画面**、そして右ペインに
コンパイルして生成されたPDFファイルの**プレビュー画面**
（あるいはエラーかログ）が表示されます。

　左ペインのファイル名 main.tex をクリックして表示さ
れるファイル内容について、いまは詳しく知る必要はありま
せん（安心してください）。

　新規作成したプロジェクトに用意されている雛型は次のよ

うなファイル構成になっています（図 2.5）。プロジェクト内には LaTeX ファイル main.tex とフォルダ 🗀 figures が配置され、フォルダ 🗀 figures 内に画像ファイル Sample.png が格納されています（フォルダはクリックすると開きます）。

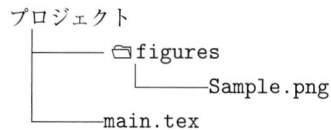

図 2.5　用意されている雛型のファイル構成

　LaTeX 文書作成においては、**ルートドキュメント**（root document）と呼ぶファイルを対象に**組版処理**を行って、その最終生成物として PDF ファイルを得ることを目的とします。今の場合、ファイル main.tex がルートドキュメントです。コンパイルボタン 🔄 コンパイル を押すと、このファイルを対象にして組版処理が行われます。

　LaTeX ファイル main.tex の内容を図 2.6 に掲載しておきます（Could LaTeX 側の状況に応じて内容が変化しているかもしれません。適宜読み替えてください）。なんだか不明で複雑な記号がたくさんでてきました。

　今は何もわからないのは当然ですが、本書を通じて「理解できるように」なりますから安心してください。節 2.3 では、この内容に追加入力しながら LaTeX 文書の作成の概要を紹介します。慣れるとわかってくることも多いのです。最初は少し我慢してお付き合いください。

```
1  \documentclass{jsarticle}
2  \usepackage[dvipdfmx]{graphicx}
3  \title{レポートタイトル}
4
5  \author{学生番号XXX-XXXX アカリク太郎}
6  \date{\today}
7  \begin{document}
8  \maketitle
9  \section{Cloud LaTeXへようこそ}
10
11 Cloud LaTeXは，\LaTeX を使った文書の作成・管理をクラウド上で行えるWebサービスで
   す．
12 \LaTeX を使うと，複雑な数式
13 \begin{equation}
14   \frac{\pi}{2} =
15   \left( \int_{0}^{\infty} \frac{\sin x}{\sqrt{x}} dx \right)^2 =
16   \sum_{k=0}^{\infty} \frac{(2k)!}{2^{2k}(k!)^2} \frac{1}{2k+1} =
17   \prod_{k=1}^{\infty} \frac{4k^2}{4k^2 - 1}
18 \end{equation}
19 を含んだ読みやすくきれいな文書作成ができます．
20
21 本サービスは，\LaTeX 文書をリアルタイムに保存・コンパイルし，ユーザーアカウント
   別に管理します．
22 そのため，本サービスにログインするだけで，どこからでも作業を再開でき，ファイルを
   持ち歩く必要はありません．
23 また，様々な \LaTeX テンプレートが用意されているので，手軽に文書を作り始めること
   ができます．
24
25 \begin{figure}
26  \centering
27    \includegraphics[width=60mm]{figures/Sample.png}
28  \caption{ここにキャプションを挿入します}
29  \label{fig:model}
30 \end{figure}
31
32 Cloud LaTeXでは，作成されるPDFそのままのレイアウトで表示するPDFビューモードがあ
   り，コンパイル画面を確認しながら文書を作成することができます（図\ref{fig:model}
   ）
33 日本語では，pLaTeX / LuaLaTeX / upLaTeX でのコンパイルが可能です．
34 また，日本語や英語文書作成だけでなく，中国語・ハングルに対応した XeLaTeX のコン
   パイルも可能です．
35 ぜひ使ってみてください．
36 \end{document}
```

図 2.6 ルートドキュメント main.tex の内容

2.2　文字入力について

　LaTeX 処理の対象となるファイルを LaTeX **ソースファイ
ル**（または単にソース）といいます。ソースを眺めると LaTeX
初心者を怖じけさせる意味不明な記載・記号がたくさん並ん
でいます。特に際立っているのが \ です。

　記号 \ を**バックスラッシュ**（backslash）といい、LaTeX
として何らかの指示・命令（LaTeX **コマンド**）を担った文
字列の先頭に現れます。\の入力は、日本語キーボードでは
￥ を、US キーボードでは \ を使います。

　バックスラッシュを入力する際には '直接入力モード'（キー
を押すと英数字・記号が入力されるモード）で入力されてい
るかどうかを常に気遣うようにしてください。LaTeX 処理
において初心者が陥りやすいエラーの多くは、LaTeX コマ
ンドが正しく入力されていなかったり（日本語入力モードに
よる文字の混在など）、日本語入力モードの不可視空白文字
の混入で生じます。

　たとえば「LaTeX 文書」と組版するためにはソースファイ
ルに\LaTeX␣文書と表記します（印刷のために空白を␣と表
しています）。

　この例のように LaTeX コマンドと通常の文字列とを区切
るためには\LaTeX と文書との間に空白␣を空けるか、または
'{\LaTeX}文書' のように波括弧{}で包んだり、'\LaTeX{}
文書' のようにして LaTeX コマンドの切れ目に波括弧対を挟
むやり方があります。このように文中で利用できる LaTeX
コマンドの使い方を間違える（LaTeX システムに有効なコ
マンドであることが伝わらない）とエラーを生じます。

また、'\Latex' や '\LATeX' と書いてしまうと該当するコマンドがないために、どちらもエラーになります。エラーは誰にでもあります。エラーが生じた段階でその原因を探ればよいので、いまから思い悩む必要はありません。

2.3 Cloud LaTeX でファイルを編集する

Cloud LaTeX で LaTeX 文書の編集作業を体験し、LaTeX 文書作成の流れを摑んでみましょう。ここで説明する内容には、LaTeX 文書作成に必要な基本的な事柄がほぼ含まれています。これらのことが使えるようになれば、おおむね自在に LaTeX 文書作成をすすめることができるようになります。ぜひ実際に体験してみてください。

それでは、以下の手順でルートドキュメント main.tex を編集し、ウィンドウ右上にある 🔄 コンパイル をクリックしてコンパイル（組版処理）し、その結果をプレビューで観察してみましょう。

2.3.1 表題情報

ファイル main.tex の先頭から 3 行目、5 行目、6 行目にある**表題情報**（タイトル、著者名、日付）を\title{竜宮城随聞記}としたり、\author{浦島太郎}および\date{2020年 12 月 25 日}などと自由に変更してみてください。雛型にある\today を使うと自動的に組版した年月日に置き換えられますが、直接に '2021 年元旦' などと任意の文字列を記入しても構いません。

　これらは波括弧（brace）{ と } で挟まれた部分に書く必要があります。直接入力の波括弧 {} と日本語入力モードの ｛｝ とを混用しないように注意します（使っているテキストエディタのフォント設定を変更するなどの対策をします）。

　編集作業を行うとファイルは自動的に保存され LaTeX 処理が始まりますが、念のためにコンパイルボタンを押してプレビュー画面を確認してください。

　実は、表題情報が記載されていていても、7 行目の \begin{document} の直後（8 行目）にあるコマンド \maketitle がないと表示されません。

　このことを確認するために 8 行目の先頭にパーセント記号 % を挿入して次のようにしてください（このような操作を「**コメントアウト**する」といいます）。

```
1  \begin{document}
2  %\maketitle
```

　すると、コンパイル後のプレビューでタイトル情報が表示されないことを確認できます。確認後はコメントを外して（\maketitle の前の % を取り去って）元に戻しておきましょう。

　記号 % は LaTeX の特殊文字のひとつで、% 以下 '行末まで' が LaTeX 文書の処理対象とはなりません。この事実を利用して、LaTeX ファイルに**コメント**（comment）としてさまざまな説明を記載しておくことができます。文書を書き換える際には、削除してしまわずに元の文書をコメントとして残すことを考えてください。

2.3.2　見出し

　main.tex において、たとえば 23 行目と 25 行目の間にある空白行に、9 行目にある\section{Cloud LaTeX へようこそ}を真似て、

```
1  \section{画像ファイルを張り込む}
```

と追加してください（この前後に空白行を何行でも挿入して構いません）。バックスラッシュ \ もそうですが、ここでも波括弧{や}は直接入力文字であり日本語入力モード文字ではありません。コンパイルすると、新たに見出しが見出し番号とともに表示されることを確認してください。

　さらに見出しを追加してみましょう。ファイル末尾の\end{document}の直前で、

```
1  \section{広がる活用法}
2  \subsection{化学式や楽譜を書く}
3  \subsection{スライドを作成する}
4
5  \end{document}
```

などとしてみてください（ここでは\subsection{項名}も使っています）。コンパイルしてプレビュー画面を確認してみると、新たな見出しが連番の見出し番号とともに表示されることが確認できます。特に、追加した\subsection{項名}による見出し番号の付き方にも注目してください。

2.3.3　目次の表示

　8 行目にある\maketitle の直後に 1 行だけ**目次作成**のためのコマンド \tableofcontents を次のように追加して、

コンパイルしてください。

```
1  \maketitle
2  \tableofcontents
```

　見出し番号とともに見出しとその登場ページが目次として表示されたはずです。

　魔法のようですが、LaTeX システムが持つ相互参照機能（節 2.3.5）が働いた結果です。

　見出しを文中に追加したり、見出しを含む文章ブロックを移動した場合は、その登場ページを正しく目次に反映させるために、2 回続けてコンパイルが必要になります。

2.3.4　ラベル付け

　本文中の適切な箇所にコマンド\label を使って次のようにラベル付けすると、LaTeX システムはラベル name に状況に応じた数を割り当てます。

```
1  \label{name}
```

　たとえば、章や節などの見出し番号や図表の番号はそのような数です。

　\section{Cloud LaTeX へようこそ}の直後の行で次のようにラベル名 welcome でラベル付けしてみましょう。

```
1  \section{Cloud LaTeXへようこそ}
2  \label{welcome}
```

　同様に、見出し「画像ファイルを張り込む」の直後に\label{insert-image}、「広がる活用法」の直後に\label{expanding-usages}、さらに「化学式や楽譜を書

く」の直後に\label{chemi-score}、「スライドを作成する」の直後に\label{making-slide}などとラベル付けしてください。ここでも、バックスラッシュ\や波括弧{}は直接入力文字です。

コンパイルしてみて、ラベルを指定するだけでは組版結果には影響を与えないことを確認してください。

2.3.5 相互参照

本文中の任意の場所でコマンド\ref を使って、

```
1  \ref{name}
```

とすると、ラベル name に割り当てられた番号を取得することができます。また、

```
1  \pageref{name}
```

とすると、ラベル name に割り当てられた箇所のページ番号を取得することができます。

こうした機能を**相互参照**といい、LaTeX が提供する大きな恩恵のひとつです。相互参照では、

> 参照側\ref{name} ⟿ 被参照側 \label{name}
> 参照側\pageref{name} ───↗

のようにラベル名 name が共有されている必要があります。

たとえば\section{Cloud LaTeX へようこそ}のラベル行の後の文章として次のように書いてみましょう。

```
1  \section{Cloud LaTeXへようこそ}
2  \label{welcome}
```

```
3  節\ref{welcome}では数式表示を、節\ref{insert-image}で
   画像ファイルの張り込み、そして節\ref{expanding-usages}
   では文書作成の活用法を考えます。
4
5  Cloud LaTeXは...
```

コンパイルして、参照側に目的の見出し番号が埋め込まれていることを確認してください。ラベル付け設定とラベル参照する時期によっては、辻褄が合うようにコンパイルが続けて 2 回必要になります。

見出しや図表の追加によってラベル番号は変化するのですが、ラベル名による相互参照機能を使えば、ラベルの登場順序や場所に関わりなくコンパイルによって常に首尾一貫した番号付けが実現されます。

LaTeX の文書作法では、章・節の番号や図表の番号を文章中に直接書くことをせず、このようなラベル参照の方法で記します。こうした LaTeX スタイルでの文書作成法は面倒で手間がかかるように思えますが、文書完成前の編集過程であっても常に正しい番号が参照されるため、長大な文書作成における文章の推敲などに大きな恩恵をもたらします。

2.3.6　ファイルのアップロード

プロジェクトにファイルをアップロードするのは簡単です。パソコンで目的のファイルを選択して Cloud LaTeX の左ペイン（ファイル構成）にドラッグするだけです（図2.7）。このアップロード操作はファイルの種類には無関係で画像ファイルでも LaTeX 分割ファイルなどのアップロードでも同様に行います。

ファイルのアップロード

図 **2.7** ファイルをアップロードする。

　雛型のファイルにある画像張り込みの書式を真似て、パソコンにある画像を張り込んでみましょう。いま、パソコンに JPEG ファイル myphoto.jpg があるとします。目的のファイルであることを確認して アップロード を押します。同じ種類のファイル群をフォルダにまとめておくというファイル管理の鉄則に従って、図 2.8 のようなファイル構成になるように、プロジェクト内にアップロードしたファイルmyphoto.jpg をドラッグしてフォルダ⊟figures 内に移動します。

2.3.7　画像のファイルの張り込み

　LaTeX で張り込むことのできる画像形式は PNG（拡張子 .png）、JPEG（.jpg, .jpeg）、PDF（.pdf）、Postscript（.ps, .eps）です（正確には使用できる画像形式はドライバに依存するなどという議論がありますが当面気にする必要はありません）。

第2章 Cloud LaTeX で始める LaTeX

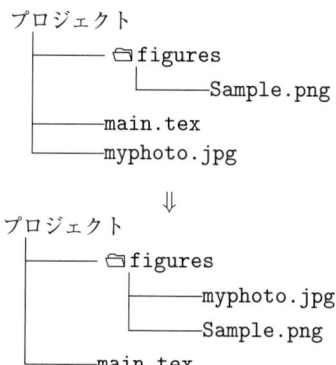

図 2.8 アップロードした画像ファイル myphoto.jpg をフォルダ figures 内に移動。Cloud LaTeX では目的ファイルを選択したうえでドラッグして移動できる。

　プロジェクトには左ペインのファイル構成で確認できるように、画像ファイル Sample.png が用意されていて、LaTeX ファイル main.tex 内の以下のコマンドで画像が取り込まれ、その結果、図1としてたなびく旗が表示されていました。

```
1  \begin{figure}
2   \centering
3    \includegraphics[width=60mm]{figures/Sample.png}
4   \caption{ここにキャプションを挿入します}
5   \label{fig:model}
6  \end{figure}
```

　画像を読み込んでいるのはコマンド\includegraphics です。このコマンドの直後の [width=60mm] の部分をオプションといいます。

ここでは、ルートドキュメント main.tex からファイルパス figures/Sample.png にある画像を、幅を 60mm に指定するオプション [width=60mm] で読み込んでいます（この前後の行については、今の段階ではこのようなものだと思ってください）。

　この Sample.png を、大きさを変え、さらに回転させて表示してみましょう。文書ファイルの先頭の方に次の例のように挿入してみます。ラベル指定\label{fig:rotate-flag} も行い、説明文（caption）も書きました。

```
1  \begin{figure}
2    \centering
3    \includegraphics[scale=0.1,angle=45]{figures/Sam
ple.png}
4    \caption{旗の回転}
5    \label{fig:rotate-flag}
6  \end{figure}
7
8  Cloud LaTeXは，\LaTeX を使った文書の作成....
```

　\includegraphics の直後の [scale=0.1,angle=45] によって、図の大きさを 0.1 倍（scale=0.1）、回転の角度を 45 度（angle=45）と指定しています。\includegraphics のオプションはコンマ (,) 区切りで並べることができます。

　コンパイルしたプレビュー画面で、図番号が整合性を保つように付け変わったことも確かめてください。

　いかがでしたでしょうか。いきなり盛りだくさんなこと
を紹介しましたが、細かいことなど覚えておく必要はなく、
まず LaTeX 文書で何ができるかを知っておけば十分です。

　せっかくですから、もうひと頑張りしておきましょう。

2.4　ファイルを分割して LaTeX 文書を作成

　LaTeX ではルートドキュメントから別のソースファイル
を読み込んで 1 つの LaTeX 文書とすることができます。特
に長大な LaTeX 文書を作成する場合には、内容ごとに別々
に記載したソースファイルを用意しておいて、ルートファイ
ルから読み込むという**ファイル分割法**がたいへん有効です。
読み込むファイルの順番を変えるだけで文書構成を変更でき
るだけでなく、続けて 2 回のコンパイルを行うだけで見出し
番号や目次に整合性のある文書が一気に得られるからです。

　図 2.5 のプロジェクトではファイル main.tex が LaTeX
のルートドキュメントです。プロジェクト内に別の LaTeX
ソースファイル install.tex を作成（あるいはアップロー
ド）し、これをルートドキュメントから読み込んでみましょう。

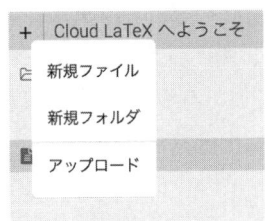

図 2.9 編集ウィンドウ左上端の [+] ボタンをクリックしてファイルやフォルダを追加できる。

　プロジェクトのウィンドウ左上端の [+] ボタンをクリックして（図 2.9）、新規ファイルとして install.tex を追加したうえで、以下のような内容を入力しましょう。

```
1  \section{\LaTeX{}システムのインストール}
2  \label{install}
3
4  パソコンに\LaTeX{}システムをインストールすることは難しくはありません。
5  ぜひ試みてみましょう。
```

　これまでの編集手順に従った場合、プロジェクトのファイル構成は図 2.10 のようになっています。

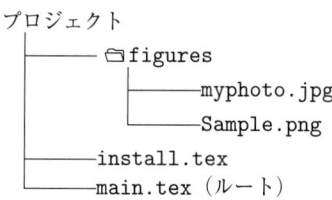

```
プロジェクト
  ├── 📁 figures
  │      ├── myphoto.jpg
  │      └── Sample.png
  ├── install.tex
  └── main.tex（ルート）
```

図 2.10　プロジェクトにファイル install.tex を追加したファ
イル構成

ルートファイル main.tex においてコマンド\input を
使って指定したファイルを読み込むことができます。

```
1  \input{指定ファイル}
```

読み込んだファイル内容は LaTeX 文書の一部となります。
ここでは図 2.10 の位置にあるファイル install.tex を
次のように読み込んでみました。

```
1  \begin{document}
2  \maketitle
3  \tableofcontents
4
5  \input{install.tex}
```

外部ファイル install.tex に記述された内容が読み込ま
れ、プレビューにも反映されていることを確認してくださ
い。また、見出し番号と目次も自動的に修正されていること
にも注意してください。

2.5 LATEX 文書の本文

　組版によって表示される内容記述を**本文**（body）といいます。LATEX では、本文は次のように\begin{document}で始まり\end{document}で終了するまでの間に書きます。

```
1  \begin{document}
2  ...
3      この間に本文を書く
4  ...
5  \end{document}
```

　何万行にも及ぶ本文を 1 つのファイルで作成することも可能ですが、ファイル編集において全体として文書構造の整合性を保つための困難が生じます。そこで、本文を内容に応じて複数のファイル群に書き分けた上で、\begin{document}行と\end{document}行の間でそれらのファイル群を読み込むように指示したファイルをルートファイルとすると都合が良くなります。

　このようにファイル分割の方法を取り入れると、編集上の都合に応じて\input{ファイル名}を入れ替えたり、コメントアウトして LATEX 構文エラーをチェックしながら長大な文書を破綻なく確実に作成することが可能になります。

　本章で追記修正したプロジェクト「はじめての LaTeX」の main.tex のファイル内容は以下のようになります。図2.11 に得られる LATEX 文書を示しています。

```
1   \documentclass{jsarticle}
2   \usepackage[dvipdfmx]{graphicx}
3   \title{竜宮城随聞記}
4   \author{浦島太郎}
5   \date{昔々}
6   \begin{document}
7   \maketitle
8   \tableofcontents
9
10  \input{install.tex}
11
12  \section{Cloud LaTeXへようこそ}
13  \label{welcome}
14  節\ref{welcome}では数式表示を、節\ref{insert-image}で
    画像ファイルの張り込み、そして節\ref{expanding-usages}
    では文書作成の活用法を考えます。
15
16  \begin{figure}
17    \centering
18    \includegraphics[scale=0.1,angle=45]
19    {figures/Sample.png}
20    \caption{旗の回転}
21    \label{fig:rotate-flag}
22  \end{figure}
23
24  Cloud LaTeXは, \LaTeX を使った文書の作成・管理をクラウ
    ド上で行えるWebサービスです.
25  \LaTeX を使うと, 複雑な数式
26  \begin{equation}
27    \frac{\pi}{2} =
28    \left( \int_{0}^{\infty} \frac{\sin x}{\sqrt{x}}
    dx \right)^2 =
29    \sum_{k=0}^{\infty} \frac{(2k)!}{2^{2k}(k!)^2}
30    \frac{1}{2k+1} =
31    \prod_{k=1}^{\infty} \frac{4k^2}{4k^2 - 1}
```

```
32    \end{equation}
33  を含んだ読みやすくきれいな文書作成ができます.
34
35  本サービスは, \LaTeX 文書をリアルタイムに保存・コンパイ
      ルし, ユーザーアカウント別に管理します.
36  そのため, 本サービスにログインするだけで, どこからでも作
      業を再開でき, ファイルを持ち歩く必要はありません.
37  また, 様々な \LaTeX テンプレートが用意されているので, 手
      軽に文書を作り始めることができます.
38
39  \section{画像ファイルを張り込む}
40  \label{insert-image}
41  \begin{figure}
42  \centering
43    \includegraphics[width=60mm]{figures/Sample.png}
44  \caption{ここにキャプションを挿入します}
45  \label{fig:model}
46  \end{figure}
47
48  Cloud LaTeXでは, 作成されるPDFそのままのレイアウトで表
      示するPDFビューモードがあり, コンパイル画面を確認しながら
      文書を作成することができます (図\ref{fig:model})
49  日本語では, pLaTeX / LuaLaTeX / upLaTeX でのコンパイル
      が可能です.
50  また, 日本語や英語文書作成だけでなく, 中国語・ハングルに
      対応した XeLaTeX のコンパイルも可能です.
51  ぜひ使ってみてください.
52
53  \section{広がる活用法}
54  \label{expanding-usages}
55  \subsection{化学式や楽譜を書く}
56  \label{chemi-score}
57  \subsection{スライドを作成する}
58  \label{making-slide}
59  \end{document}
```

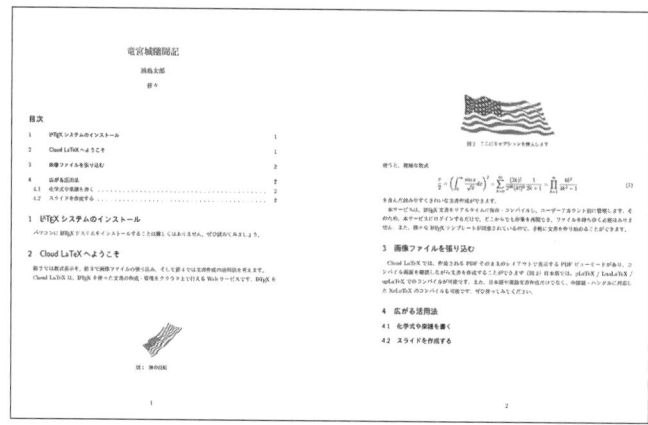

図 2.11　追記修正して得られた PDF ファイル

2.6　文書のスタイル

　ファイルの先頭の行にある\documentclass{jsarticle}
にはどんな意味があるのでしょうか。この行では作成する
目的文書の**文書クラス**を指定しています。いままでの例で
は「日本語新ドキュメントクラス」で論文作成用に提供され
ている jsarticle を使って文書作成を行ってきました。

　文書クラスとは何でしょうか。LaTeX における文書作成
では、文書形式（仕上がり具合）と内容を分離するという基
本方針のもとに作業を進めます。その際に、文書クラスを変
更すれば、同じ内容で異なった体裁の文書をいつでも簡単に
生成できることになります。

　このことは違う文書クラスを使ってすぐに確認すること
ができます。次のように\documentclass に jsbook を指

定してプレビューしてみてください。

```
1  \documentclass{jsbook}
```

　他のファイル内容を一切変更せずに 1 ヵ所だけ書籍用クラスの jsbook を使うと変更するだけで、生成される文書の様子が大きく変わることを観察してください。

　このようにして後からでも文書クラスを切り替えることによって作成する文書スタイルが簡単に変更できるため、LATEX を使った文書作成においては文書内容自体にだけ注力することができるのです。

　日本語 LATEX で標準的に提供されている論文用の jsarticle や書籍用の jsbook 以外にも、出版社が独自に工夫したクラスや、さまざまな学会の論文雑誌投稿用の文書クラスが公開されています。Cloud LaTeX では、「テンプレートから作成」を使うとリストされている多数の学会用のスタイルを選んで文書作成を始めることができます。ぜひ、いくつか試してみてください。

2.7　この章のまとめ

　本章では、パソコンへインストールすることなくクラウドサービスとして簡単に LATEX 文書の作成ができる Cloud LaTeX を使って、LATEX の基本を紹介しました。簡単な作業で以下のことがわかりました。

- LaTeX ではソースファイルをコンパイルすることで組版結果として PDF が得られる。
- LaTeX コマンドはバックスラッシュ \（日本語キーボードでは ¥）で始まる。
- 正しく LaTeX コマンドを入力しないとコンパイル時にエラーが発生して組版に失敗する。直接入力モードと日本語入力モードでの文字入力の差異に注意する。
- 見出しをつけて文書を書くと、作成途中であっても作成文書の目次が常に正しく表示される。
- LaTeX では見出し番号や図表番号を文中に直接記入せず、ラベル名による相互参照を行うことで常に正しい見出し番号や図表番号が文中に埋め込まれる。
- 分割保存された文書ファイルをルートドキュメントから読み込んで 1 つの LaTeX 文書とすることができる。

2.8　Cloud LaTeX が見せない中間ファイル

　本節と次の節 2.9 は少し専門的な話題なのではじめは読み飛ばしてもらっても構いません。慣れてきたときに見直してください。

Cloud LaTeX を使うと、初心者にも簡単に LaTeX 文書を作成できることがわかりました。Cloud LaTeX では LaTeX システムを自分のコンピュータにインストールして使用する場合に比べて、使いやすさのためにさまざまな工夫が施されています。

　まず、プロジェクトごとに完成した雛型を与えるという点が挙げられます。ユーザはそれを修正・拡張することで文書作成にスムーズに取り掛かることができます。

　また、本書では触れませんが、LaTeX における組版では、(u)platex エンジン（49 ページ参照）を使ってコンパイルした後、完成文書として PDF ファイルを生成するためにドライバ dvipdfmx を使う工程があります。Cloud LaTeX ではこの工程を自動化しています。

　もうひとつ、Cloud LaTeX では LaTeX ファイルから PDF ファイルを生成する過程で生ずるファイル群を見せないようにし、いたずらにユーザを惑わさないように工夫しています。

　LaTeX システムのコンパイル時にはさまざまな**中間ファイル**が生成されます。相互参照（節 2.3.5）や目次の表示（節 2.3.3）を正しく行うために、中間ファイルが書き出され、さらに再コンパイル時にそれらを読み込むことによって、辻褄があった LaTeX 文書が得られるのです。

　表 2.1 に (u)platex によるコンパイル時に生成される代表的な中間ファイルを載せました。

表 2.1　(u)platex でコンパイルして生成される中間ファイル

ファイル拡張子	ファイル内容
`.tex`	LaTeX ソースファイル。
`.aux`	一度コンパイルを行った際の情報を次のコンパイル時で利用するためのファイル。相互参照に関する情報も記載。
`.toc`	章、節などの見出し情報が書き出された目次ファイル。次のコンパイルを行う際に読み込まれる。
`.dvi`	(u)platex エンジンのコンパイル結果として生成された DVI ファイル。画像形式や表示デバイスに依存しない文書レイアウトに関するバイナリファイル。
`.log`	現在のコンパイル時の詳細情報が書かれたログファイル。
`.pdf`	ドライバ dvipdfmx によって DVI ファイルや画像から生成された目的の PDF ファイル。

2.9　LaTeX エンジンと文書クラス

　LaTeX は組版処理を担う TeX を容易に利用できるようにマクロパッケージ化したシステムです。TeX を実現するコンピュータプログラムがエンジンです。日本語用に開発された TeX エンジンを pTeX と言い、その上に構築されたマクロパッケージを LaTeX 2_ε と呼んでいます。この日本語 LaTeX を使って組版処理を駆動するプログラムを platex エンジンと称します。

　Cloud LaTeX のプロジェクトウィンドウの右上端の 3 本線アイコンをクリックすると「プロジェクト設定」が開きます。そこで [LaTeX エンジン] を選択してくだ

さい。 新規プロジェクト で作成したプロジェクト（あるいは テンプレート 「Cloud LaTeX へようこそ」）では、LaTeX エンジンが 'platex' に設定されていることが確認できます。

TeX ファミリーには既に長い歴史があります。日本語として美しい LaTeX 文書を組版するために最初に開発された ptex/platex では漢字/かな/和文記号として JIS 第一・第二水準（JIS X 0208）の範囲を扱っています。uptex/uplatex では文字コード UTF-8 で書いたファイルで漢字/かな/CJK（中日韓）記号/ハングルの範囲が扱えるように拡張されました（ただし、これらの文字がそのまま表示されるわけではありません）。

一方、lualatex や xelatex は LaTeX 処理系を日本語へ特化させたものとしてではなく、さらに一般的な枠組みにおいて開発されている LaTeX エンジンです。bxjsarticle を含む文書クラス **BXjscls** は「日本語新ドキュメントクラス」から platex 依存の部分を分離した汎用文書クラスで、表2.2 で示したように LaTeX エンジンと標準言語として日本語を指定すれば platex/uplatex/lualatex/xelatex などの複数のエンジンで使うことができます。

多言語対応への柔軟性の観点からすると、これらの LaTeX エンジン性能は次のような関係にあります。

$$\text{platex} < \text{uplatex} \ll \begin{cases} \text{lualatex} \\ \text{xelatex} \end{cases}$$

本書では特に断らない限り、エンジンを platex とし、文書クラスを三重大学の奥村晴彦先生が開発し広く使われてい

表 2.2 LaTeX エンジンごとに論文クラス jsarticle に相当する文書を作成するための\documentclass 行の代表的な書き方。

エンジン	論文クラスの書き方
platex	\documentclass{jsarticle}
uplatex	\documentclass[uplatex]{jsarticle}
lualatex	\documentclass{ltjsarticle}
	\documentclass[lualatex,ja=standard]{bxjsarticle}
xelatex	\documentclass[xelatex,ja=standard]{bxjsarticle}

る「日本語新ドキュメントクラス」（の中で主に論文クラス jsarticle）を使って LaTeX 文書の作成を説明します。こうしてできあがった文書を他のエンジンを使って改めて組版することは、大抵の場合難しくありません。

　表 2.2 では、「日本語新ドキュメントクラス」の論文スタイル jsarticle に相当する文書作成を念頭に、利用するエンジンごとに必要な\documentclass 行の代表的な書き方を紹介しています。

　表では platex と uplatex で同じ文書スタイルを使いましたが、文書クラスによっては platex にだけ対応して uplatex に対応していないものがあります。

　この表を参考にして、エンジン platex を使っている テンプレート 「Cloud LaTeX へようこそ」のプロジェクトで、LaTeX エンジンを変えてコンパイルしてみてください。

　では、どの LaTeX エンジンを使うべきなのでしょう。これについてはたくさんの議論があります。多言語を同時に表示するための考え方や具体的な設定の紹介は本書の範囲を超えるので省略しますが、たいへん興味深いので、LaTeX

に慣れてきたらぜひ調べてみてください。

第 **3** 章

LATEX 文書の書き方

この章では、LaTeX のソースファイルの書き方を「日本語新ドキュメントクラス」の論文スタイルに基づいて改めて丁寧に紹介します。

　この章の内容を知ることによって、第 2 章で取り上げた Cloud LaTeX が提供するプロジェクト「Cloud LaTeX へようこそ」の雛型 LaTeX ファイル（図 2.6）の大枠を理解できるようになります。この雛型ファイルには LaTeX ファイルにおける基本事項が詰まっています、適宜参照してください。

3.1　作業を始めるにあたって

　この章の内容を、Cloud LaTeX を使って確認するためには 新規プロジェクト （たとえば myreport）を作成して雛型ファイル main.tex を編集します。LaTeX システムがインストールされたパソコンを使う場合には、Cloud LaTeX のプロジェクト名に相当するフォルダ（たとえば🗀myreport）を作成したうえで同じくファイル名 main.tex を保存して作業してください。図 3.1 のように、張り込む画像ファイル myphoto.jpg などはまとめてフォルダ🗀figures に収納しておくと混乱なく作業することができます。また、文書作成のためのメモや資料や各種データなどはフォルダ🗀data に収納しておくとよいでしょう。

　なお、本書で作成するファイルはすべて文字コード UTF-8 で保存することにします。

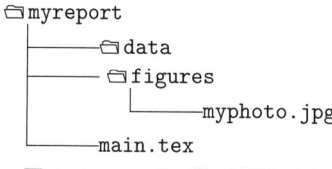

図 3.1 ファイル群の配置の例

3.2 LᴬTEX ファイルの基本形

LᴬTEX 文書の原形は下記に示した必須となる 3 行を含みます。作成する文書の文書クラスを指定する冒頭の\documentclass 行、そして本文を両側から挟む\begin{document}行と\end{document}行です。

```
1  \documentclass{文書クラス}
2  プリアンブル部
3  \begin{document}
4  本文
5  \end{document}
```

\documentclass 行と\begin{document}行の間を**プリアンブル部**（preamble）といい、LᴬTEX の諸設定の変更、新たな機能を追加するための**パッケージ**の読み込み、ページレイアウトなど文書全体に対して影響力を持つ変数やマクロ定義などを書きます。また、プリアンブル部にはタイトルや著者名などの表題情報（節 2.3.1）も記述します。

文書クラスとは作成する文書の体裁（形式や見た目）の基本を指定するもので、ユーザ自ら作成する必要はありません（印刷物のレイアウトはたいへんデリケートで、出版の歴史の中で育まれてきた経験と知識が必要です）。文書形式と内

容を分離するという LaTeX における文書作成の根本理念が
ここに反映されています。同じ内容でも文書クラスを変える
だけで、見た目が異なる多彩な文書を作成できます。通常、
LaTeX システムで用意された標準的な文書クラスを利用す
るか、学会や出版社、または組版に関して専門的な知識と技
巧を持つ有志が作成した文書クラスを入手して利用します。

その代表的なものが奥村晴彦氏の「日本語新ドキュメン
トクラス」で、論文用の jsarticle と書籍・レポート用の
jsbook があり、LaTeX の標準システムに含まれています。
節 3.3.1 で改めて説明しますが、論文スタイルと書籍・レ
ポートスタイルのどちらを採用するかは、作成する文書の
ページ数の多寡ではなく、見出しという、文書構造上の分節
化における最上位単位の違いや、組版結果の体裁に基づいて
使い分けします。

論文スタイル jsarticle を使って、目次付き文書を作成
する LaTeX ファイルの基本形を次に示しました。

```
1  \documentclass{jsarticle}
2  パッケージの読み込み
3  表題情報
4  \begin{document}
5  \maketitle
6  \tableofcontents
7
8  \section{見出し 1}\label{headline1}
9  ...
10 \section{見出し 2}\label{headline2}
11 ...
12 \end{document}
```

ここでは、見出しの最上位単位\section{節}を並べまし

たが、さらに下位の\subsection{項}や\subsubsection{目}を組み合わせて見出し構成を工夫し論文構成を考えることになります（節 3.3.1）。

3.2.1 表題情報の出力

文書では冒頭に**表題情報**が欠かせません。表題情報とはタイトル、著者情報（所属などを含む）そして日付の 3 要素からなり、プリアンブル部にそれぞれコマンド \title{タイトル}, \author{著者}, \date{日付}を使って記入します。これらの要素の順番は違っていても構いません。

表題情報を本文冒頭に表示するには\begin{document}行の直後にコマンド \maketitle が必要です。たとえば次のように書きます。

```
1  \documentclass{jsarticle}
2  \title{文書のタイトル}
3  \author{著者}
4  \date{日付}
5  \begin{document}
6  \maketitle
7  ...
8  \end{document}
```

表題情報に関する注意点は次のようになります。

- 表題情報がプリアンブル部に記載されていても、本文に\maketitle 行がなければ表示されない。
- 表題情報はタイトル、著者、日付の順に組版される。
- \title{タイトル}を省略して\maketitle を書いて組版するとエラーになる。

- \author{著者}や\date{日付}は省略可能だが、現在の日付が自動的に挿入される。
- 日付をあえて省略したい場合、波括弧内{　}を空にして\date{}と書く。

しかしながら、文書に日付を表示することは大切です。言語文化や習慣による誤解を招かないように '4/11/31' などの表記は避けるようにします。

3.3　見出しで文書を構造化する

文書はそれを構成するさまざまな要素が組み合わさった**文書構造**をなしています。文書の組み立てにおいては文書全体を大まかなブロックに分け、さらに各ブロックをより下位の小さなブロックに分け、というようにして階層的に分節化することができます。

たとえば、第 1 章、第 1 章第 1 節、第 1 章第 2 節などの見出し番号のついた文書はその典型です。番号付けされた見出しと、それらが一覧できるようになっている目次は文書の全体的理解にとって大きな役割を果たします。このような文書の分節化は木構造をもたらしますが、目次から文書の任意の場所にリンクを張っておいて文書構造の順序によらず読めるようにする工夫も大切です（節 6.1）。

3.3.1　見出しレベル

LaTeX では文書を**見出し**（headline）によって分節化し連番を付与するコマンドが用意されています（表 3.1）。分節

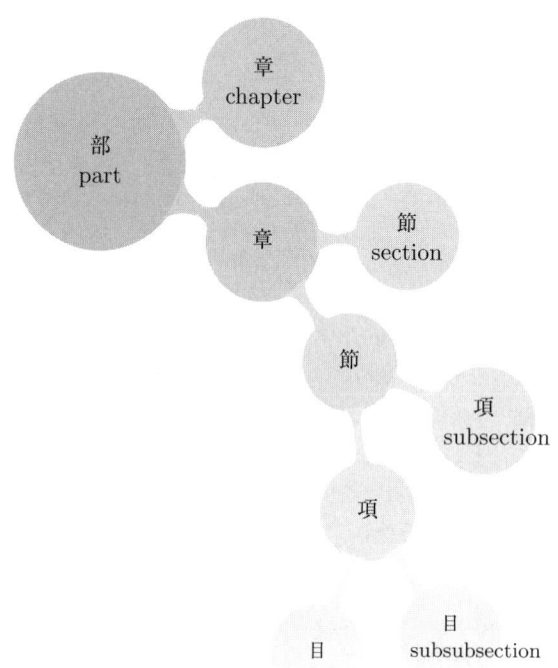

図 3.2 文書見出しの階層構造

レベルに応じた見出し番号を自動的に割り当て、それらに基づいて目次を作成して視覚的にも読みやすい文書を作成することができます。

　本書で主に利用する論文スタイルの jsarticle では最上位の見出し分節単位は**節**で\section{節}というコマンドで表し、次いで**項**を\subsection{項}で、さらに下位の**目**を\subsubsection{目}で表します。

表 3.1 文書の見出し作成のためのコマンド

分節単位	分節指定
部	\part{..}
章	\chapter{..}
節	\section{..}
項	\subsection{..}
目	\subsubsection{..}
段	\paragraph{..}
小段	\subparagraph{..}

　一方、**書籍・レポート**スタイルである jsbook を使うとさらに大きな分節単位を持つ見出しを付けることができ、最上位の**部**を\part{部}によって、次いで**章**を\chapter{章}によって、というように階層化することができます（図 3.2）。

　高木貞治が『解析概論』（岩波書店）を書籍スタイル jsbook を使って著すとしたら、次のように階層的に見出しを付けることになります。

```
1  \documentclass{jsbook}
2  \title{解析概論}
3  \author{高木貞治}
4  \date{1938年}
5  \begin{document}
6  \maketitle
7  \tableofcontents
8
9  \chapter{基本的な概念}
10   \section{数の概念}
11   ...
12   \section{数の連続性}
13   ...
14   ...
15  \chapter{微分法}
16   \section{微分 導函数}
```

```
17  ...
18  \section{微分の方法}
19  ...
20  ...
21  \chapter{積分法}
22  ...
23  \end{document}
```

　\documentclass で指定した jsarticle や jsbook などの文書クラスに応じた見出しコマンドを使うと、組版の際に見出しの登場順に自動的に**見出し番号**として、見出しの階層レベルをピリオドで区切った数字の並びが見出しと共に表示されます。たとえば、jsarticle の見出し書式は $n.m.k$ というように n が節番号、m が項番号、k が目番号となります。

　もし、文書クラスが許している最上位分節レベルより下位レベルを見出しとして文書を始めたり、\section{節名}行以降の直近見出しに\subsubsection{目名}のように階層を飛ばした見出しをつけると、見出し番号の並びにゼロが入ります（たとえば**3.0.1**のようになります）。

3.3.2　目次を作成する

　見出しに基づいた目次情報を出力するのは、実に簡単で次の1行を書くだけです。

```
1  \tableofcontents
```

　組版処理を続けて2回以上繰り返すと、中間生成ファイルの情報に基づいて見出しとその登場ページが正しく対応した目次が自動的に組版されます。

目次に載せる見出しのレベル（**見出しの深さ**）を変更する
には、プリアンブル部に以下のように書いて n の値を設定
します。

```
1   \setcounter{tocdepth}{n}
```

　n のデフォルト値は論文スタイル jsarticle では 2
で\subsection まで掲載され、書籍・レポートスタイル
jsbook ではデフォルト値 1 で\section までが目次に掲
載されます。もっと深い目次が必要なときはデフォルト値
よりも大きな整数を指定します。

　大きな分節レベル（深い分節階層）を持つ文書であっても、
ページ数が多いわけではありません。jsarticle を使って
数百ページにわたる論文を書いたり、jsbook を使って 10
ページ程度の本を書くことに何ら問題はありません。文書
の見出し階層はあくまでも文書を分節化するための印に過ぎ
ません。

3.4　文章の基本を確認する

　ここでは、改めて**文章**（text）の基本を確認しておきま
しょう。また、LaTeX 文書を作成するうえで重要な、段落改
行と改行の違いについて説明します。

　文章における最小単位は**文**（sentence）で、一文は句点（マ
ル。またはピリオド．）で終わります。作文の授業では、文
の連なりをひとまとまりの**段落**（paragraph）としてグルー
プ化し、文章を組み立てるように学びました。段落の始めで
はその行頭を**字下げ**（indent）して段落の区切りを視覚的に

提供し、文章を読みやすくする工夫をします。段落を構成する最後の文を書き終わってから新たな段落を開始するための改行を**段落改行**といいます。

　ワードプロセッサで文章を書いている場合には、段落の最後の文を終えた後に return キーまたは enter キーを押して段落改行します。段落の最初の文の行頭を 1 文字分下げる設定をしたり、あるいは意図的に空白文字を入力して字下げして次段落を書き始めます。

　LATEX では、段落改行のためには 1 つ以上の**空行**（次節3.4.1）を挿入するだけでよく、段落行頭の字下げのために空白文字を入力する必要はありません。組版すると、段落の行頭だとわかるように自動的に字下げされます。ただし、空行をいくら挿入しても 1 つの段落の区切りでしかありません。

3.4.1　行と改行

　ワードプロセッサや適切に設定されたテキストエディタを使ってキーボードから文字入力しているとき、入力文字がウィンドウ幅に達すると、文字列はそこで折り返され（wrapされ）て次の文字は次行の先頭に表示されます。

　この状況は**行の折り返し**（line wrapping）と呼ばれ、キーボードによる改行操作とは区別されます。テキストエディタや Web ブラウザにおいてウィンドウ幅を変化させるときに、1 行に表示される文字数が変化するのはこの行の折り返しの結果です。

　一方、キー入力途中で return キーまたは enter キーが押されると、不可視文字である**改行文字**（本書では↵で表すことにします）が入力され、ワードプロセッサやテキストエディ

タでは次に入力した文字が次行の冒頭に表示されます。この意図的な改行文字の入力を**改行**または**論理改行**というのです。

コンピュータにおいては改行文字↵から次の改行文字までの文字列を**論理行**（logical line）といいます。改行文字を2つ続けて↵↵と入力すると、行頭に何も入力されないまま再び改行される結果、文字列の長さが0の論理行（**空行**（empty line））が作られます。

この観点からテキストファイルを見れば、テキストファイルとはファイル末尾（EOF: End Of File）まで次のように改行文字を挟んで論理行（長さ0の文字列を含む）が連なった1列の文字列になっていると考えることができます。

$$\underbrace{非改行文字列}_{論理行} ↵ \underbrace{非改行文字列}_{論理行} ↵ \ldots ↵ \underbrace{非改行文字列}_{論理行} EOF$$

コンピュータで利用する**不可視文字**には改行文字以外に、空白文字（'␣'≠日本語空白'　'）やタブなどの制御文字があります。LaTeX ファイルの編集には、思わぬエラーを生じないように不可視文字を可視化表示でき、また論理行番号を表示できるテキストエディタの利用が推奨されます（図3.3）。

3.4.2 段落のある文章を書く

LaTeX で入力している文章において段落改行するためには、次のいずれかの方法で表します。段落初めの字下げはLaTeX システムによって自動的に組版されるため、段落先頭に空白文字の入力は不要です。

```
1  ↵
2  不可視文字を表示できるテキストエディタを使うと、文字入力に
・  よるエラーを見つけやすい。↵
3  半角空白(·)と全角空白(□)の空白、タブ → や改行文字の表示は
・  \LaTeX{}文書作成には重宝する。↵
4  プログラミングにおいても欠かせない。↵
5  ↵
6
```

図 3.3　論理行番号と不可視文字を表示するテキストエディタの
様子

- 1つ以上の空行を挟む（空行が2つ以上連続していても1
  つの空行として扱われる）。
- 段落改行したい文末で段落コマンド \par を入力する。

　段落改行をしない限り、連続した論理行は1つの段落内
の文として組版されます。

　次は、『吾輩は猫である』（夏目漱石）の冒頭の一節を LATEX
スタイルで記したものです。3行目に段落改行するための空
行があります。

```
1  吾輩は猫である。↵
2  名前はまだ無い。↵
3  ↵
4  どこで生れたかとんと見当がつかぬ。↵
5  何でも薄暗いじめじめした所でニャーニャー泣いていた事だけ
6  は記憶している。↵
7  吾輩はここで始めて人間というものを見た。↵
```

　このように空行をはさまずとも、次のように段落コマン
ド\par を使っても同じ組版が得られます。

```
1   吾輩は猫である。↵
2   名前はまだ無い。\par↵
3   どこで生れたかとんと見当がつかぬ。↵
4   何でも薄暗いじめじめした所でニャーニャー泣いていた事だけ
5   は記憶している。↵
6   吾輩はここで始めて人間というものを見た。↵
```

どちらのソースファイルをコンパイルしても組版結果は、

> 吾輩は猫である。名前はまだ無い。
> どこで生れたかとんと見当がつかぬ。何でも薄暗いじめ
> じめした所でニャーニャー泣いていた事だけは記憶してい
> る。吾輩はここで始めて人間というものを見た。

となります。以降の LaTeX ソースの例示では、煩雑さを避けるために改行文字↵は明示していません。

さて、詩歌のように文の途中でわざと行を改めて、次段を字下げせずに行頭から文を書きたいことがあります。このような改行操作を**強制改行**（break）といい、段落改行とは明確に区別されます。LaTeX では、強制改行は次のようにコマンド\\または\newline で表します。

```
1   \noindent
2   雨ニモマケズ\\
3   風ニモマケズ\newline
4   雪ニモ夏ノ暑サニモマケヌ\\
5   丈夫ナカラダヲモチ\newline
6   慾ハナク\\
7   ....
```

ここでは、1 行目で段落冒頭の**字下げを抑制**するコマンド\noindent を使っています。このコマンドがないと、1 行目のみ 1 字下げになってしまいます。

LᴬTᴇX ソースファイルを書く場合のお勧めのスタイルは、1つの文を1つの論理行で書いて、段落改行するときには空行を挟んで段落の切れ目とするやり方です。1つの文を書いて句点を入力したら return キーで改行文字⏎を入力し、次行冒頭から次の文を入力していくのです。

このように記述すると後からソースファイルの編集・推敲作業がはかどるからです（各文末を「です・ます」から「である」に変更するときなど）。自分の好みの書き方を自由に選んでください。

3.5 LᴬTᴇX の特殊文字

LᴬTᴇX で文章を書く基本は以上で尽きますが、ソースファイルに入力する文字そのものについては注意が必要な場合がありす。

たとえばバックスラッシュ\は LᴬTᴇX ではコマンドを表す文字として使われています。ソースファイルに、

1 \を入力する。

などと書くと、「\を入力する。」というコマンドとして認識されエラーになってしまいます。

LᴬTᴇX では、バックスラッシュ\（日本語キーボードで¥）を含む特別な役割を有する 10 個の**特殊文字**が定められています。LᴬTᴇX における特殊文字を表 3.2 に掲げました。

文中に LᴬTᴇX の特殊文字をそのまま文字として組版するには、表のように原則として\をつけて特殊文字の役割を一時的に停止する（これを**エスケープ**させるといいます）か、

表 3.2 LaTeX の特殊文字

文字	読み	文字記述法
%	パーセント	\%
\	バックスラッシュ	\textbackslash
¥	(\と同じ)	Y\llap{=}
{	左ブレース	\{ または \textbraceleft
}	右ブレース	\} または \textbraceright
$	ドル	\$ または \textdollar
&	アンパサンド	\&
#	ハッシュ	\#
^	キャレット	\^ または \textasciicircum
_	アンダースコア	_ または \textunderscore
~	チルド	\~ または \textasciitilde

それぞれの特殊文字を表現するためのコマンドを使います。

組版でエラーが発生して思うような表示とならない場合には、ソースファイルでこれら特殊文字をそのまま使っていないかを検討してみてください。

特に気をつけたい特殊文字が通常の文章で使用頻度の高いパーセント記号 % です。次を見てみましょう。

1 日本の 65 歳以上人口の割合は、昭和 60 年に 10%を超え、↵
2 平成 17 年には 20%を超え、その 8 年後の平成 25 年には↵
3 25%となって初めて 4 人に 1 人が高齢者となった。↵

このソースを組版すると、

> 日本の 65 歳以上人口の割合は、昭和 60 年に 10 平成 17 年には 2025

と表示されてしまいます。各行の最初の % 記号から行末までがコメントアウトされて組版対象となっていないために、文意が大幅に変わっています。

　先のバックスラッシュ\の例とは異なり、%を使う場合には大抵の場合はエラーにならずにコンパイルが終了してしまうので、仕上がり結果には注意が必要です。

　また、特殊文字以外にも LᴬTEX ではソースファイルと組版結果が異なる文字がいくつかあります。表 3.3 には、そのような文字を掲げました。ただし、数式モード（節 5.1）ではそのままの文字として使うことができます。

表 3.3　LᴬTEX ソースファイルと組版結果が異なる文字

文字	読み	組版後	文字記述法
<	より小さい	¡	\textless
>	より大きい	¿	\textgreater
|	縦棒	—	\textbar
"	二重引用符	"	
`	アクサングラーブ		
'	引用符	,	

3.6　画像の取り込みと文字列の変形

　文書中に画像ファイルを張り込んだり、テキスト内の文字列を変形させるためのツールとして graphicx というパッケージがあります（節 2.3.7）。graphicx の機能を使うためにはプリアンブル部で次のようにパッケージ graphicx を読み込んでください。

```
1  \usepackage[dvipdfmx]{graphicx}
```

　本書では、「日本語新ドキュメントクラス」（の論文スタ

イル jsarticle）を使って LaTeX エンジン (u)platex とド
ライバ dvipdfmx で処理して PDF ファイルを作成するこ
とを前提にしています。そのために graphicx にオプショ
ン dvipdfmx を指定しています。ここでは詳しい議論を知
る必要はありません（エンジン lualatex や xelatex を使う
場合にはそれぞれドライバオプション lualatex, xelatex
を使います）。

　graphicx を使って取り込むことのできる画像ファイル
の形式を表 3.4 に示しました。表 3.4 の画像形式以外に広
く利用されている画像、たとえば SVG ファイル（Scalable
Vector Graphics）を LaTeX で使うにはあらかじめ PDF に
変換しておきます。TIFF（Tagged Image File Format）、
GIF（Graphics Interchange Format）や Windows でしば
しば使われている BMP（Bitmap Image）形式の画像ファ
イルは LaTeX に対応していないため、前もって graphicx で
取り扱える画像形式に変換しておきます。画像を取り扱う
場合にはそのファイル拡張子に注意を払い、画像形式を知る
ようにしてください。

表 3.4 graphicx で読み込み可能な画像形式

画像形式	略記名	拡張子
Portable Network Graphics	PNG	.png
Joint Photographic Experts Group	JPEG	.jpg .jpeg
Portable Document Format	PDF	.pdf
Encapsulated PostScript	EPS	.eps

3.6.1　画像ファイルの張り込み

　本文中で画像ファイルを張り込むには用意した画像ファイルをコマンド\includegraphics で読み込みます。ファイル指定においては、コンパイル対象の LaTeX のルートファイル（節 2.4、節 3.7）から目的ファイルへのファイルパスを指定します。

　ただし、目的の画像ファイルはパソコン内にあるローカルファイルに限られ、インターネット上の画像の URL をファイルパスとすることはできません。

```
1  \documentclass{jsarticle}
2  \usepackage[dvipdfmx]{graphicx}
3  \begin{document}
4  ...
5  \includegraphics[オプション]{ファイル指定}
6  ...
7  \end{document}
```

3.6.2　画像取り込みオプション

　画像ファイルを取り込むコマンド\includegraphics には組版後の画像の大きさや位置を調整するオプションがあります。その一部を表 3.5 に掲げました。オプション指定をしなければ、読み込んだ画像そのままのピクセル数で文書内に表示されます。作成する文書の大きさや目的に応じて調整してください。複数のオプション指定はコンマ , で区切って並べます。

　ただし、表示サイズを小さく変更したとしてもドライバ dvipdfmx は画像をそのまま取り込むだけでダウンサンプル

は行いません。このため、サイズの大きな画像ファイルを多数取り込むと、得られる PDF 文書ファイルのサイズは巨大になってしまうことに注意してください。オリジナルの画像ファイルを別の場所に保管しておいたうえで、完成した文書に張り込んだ画像品質が保てる程度に画像加工ソフトで適切な解像度になるように画像サイズを調整する方法もありますが面倒です。組版された PDF ファイルのファイルサイズを確認し、必要に応じて最適化圧縮するとよいでしょう。

次の例では、画像ファイル myphoto.jpg の張り込みにオプションを使っています。

```
1  \includegraphics[height=4cm,width=3cm]{figures/myp
   hoto.jpg}
```

この例では、2 つのオプション height と width を使って、張り込んだ画像を高さ 4cm 幅 3cm で組版します。こうした場合、一般には元の画像の縦横比は変わってしまいます。

次の例は、読み込んだ元の画像が高さ 4cm になるように縮尺を調節して組版します。

```
1  \includegraphics[height=4cm]{figures/myphoto.jpg}
```

元の画像の縦横比率を保って拡大率を変えて 0.7 倍に縮小するには次のように書きます（scale=1 で等倍になります）。

```
1  \includegraphics[scale=0.7]{figures/myphoto.jpg}
```

表 3.5　\includegraphics のオプションの一部

オプション	意味
height	表示画像の高さ指定
width	表示画像の幅指定
scale	表示画像の縮尺指定
angle	表示画像を回転 (単位は度 °)

3.6.3　図表として組版する

\includegraphics で張り込まれる画像は のように '文中の 1 文字' として組版されます。

張り込んだ画像や図に図番号を付けたり、表組みに表番号を付けて組版するためには、**figure 環境**（\begin{figure} ...\end{figure}）または **table 環境**（\begin{table}...\end{table}）を使って記述します（節 2.3.7）。「環境」の考え方については改めて節 4.1 で紹介します。

ここでは、図として取り扱う場合で説明します。以下の例ではページの左右中央に図を配置するために **center 環境**を使っています。

```
1  \begin{figure}[htbp]
2  \begin{center}
3  \includegraphics[オプション]{画像ファイル}
4   ...
5   画像を読み込んだり、テキストで記述したり
6   ...
7  \end{center}
8  \caption{図の説明}
9  \label{図ラベル}
10 \end{figure}
```

図番号を付けるためには\captionを使って図の説明文を書く必要があります（\caption{}と空文字列としたときには図番号だけが表示されます）。節2.3.5で触れたように、図番号を本文中の任意の場所で参照するためにfigure環境内の最後の行に\labelを使ってラベルを指定しておきます。こうすることで任意の場所から\ref{図ラベル}によって図番号を、\pageref{図ラベル}によって図が掲載されたページを取得することができます。

　\begin{figure}に付けた[htbp]というオプションは図表のページ内での配置を指定しています。図を張り込んでコンパイルしてみるとわかるように、\begin{figure}...\end{figure}で記述した位置に図が出力されるわけではありません。LaTeXでは図版は組版の都合にあわせて最適な位置に自動的に移動（浮遊）します（その結果、記述行の次ページまたは前ページに出力されることがあります）。

　オプションの指定の意味は次のとおりです。

　　h　　可能な限りその場に出力
　　t　　可能な限りページ上段に出力
　　b　　可能な限りページ下段に出力
　　p　　単独ページで出力
　　H　　その場に出力（ページに空白が生じる可能性あり）

　図表の配置に関するこうしたオプションは可能な限り適用されますが、必ず指定した優先順位で実際に出力されるとは限りません。最後のHはプリアンブル部に\usepackage{float}と書いてパッケージfloatを読み込んだときに使えるオプションです。[H]とだけ指定する

と、図表はその場に出力されますが、ページ内のそれ以降で空白が生じる可能性があります。

3.7　長大な文書作成ではファイルを分割する

LATEX で作成する文書が長くなってくると、1 つのファイルでの編集作業に支障をきたしたり、またエラー原因を探すことも大変になります。このようなときには節 2.4 で触れたように、ファイルを分割して起点となるファイル（ルートファイルと呼んでいます）から目的の分割ファイルを読み込むようにすると軽快な作業が可能になります。

図 3.4 に示したように、ルートファイル main.tex とそこから読み込まれる各分割ファイル群の内容を 1 つにつなぎ合わせると、文書クラスの宣言\documentclass{**文書クラス**}から始まり、LATEX 文書の最終行\end{document}で終わる完全な LATEX 文書ファイルとなるようにそれぞれの分割ファイルを書けばよいのです。

分割したファイルを読み込むには、コマンド\input{**ファイルパス**} または \include{**ファイルパス**}を使い、ルートファイルから目的ファイルまでのファイルパスで指定します。パスの区切り記号は、Windows や macOS とも共通で、スラッシュ / を使います（Windows でしばしば使われるバックスラッシュ記法はパス区切りには使いません）。分割保存されるファイルの拡張子は LATEX 原稿であることがわかるように拡張子 .tex を付けましょう。\input と \include との違いは、\include ではファイルごとに強制

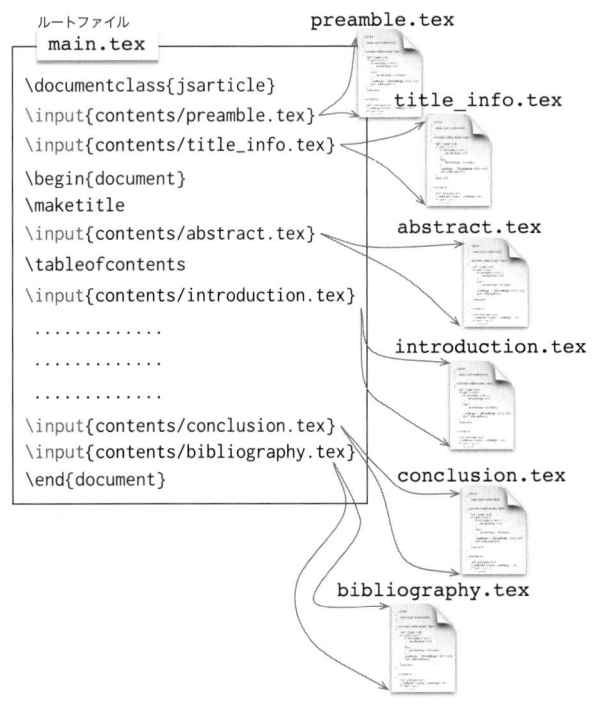

図 3.4 ルートファイル main.tex から分割ファイルを読み込んで文書を作成する

的に改ページ（\newpage）を行って読み込んだファイル内容を組版していくことです。

　ファイル分割の方法では、分割したファイルに関するファイル管理が鍵となります。図 3.5 は文書作成に必要なファイル群がフォルダ🗀myreport に収められている様子を示

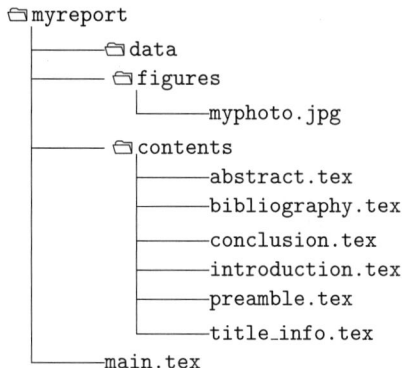

```
myreport
├── data
├── figures
│       └── myphoto.jpg
├── contents
│       ├── abstract.tex
│       ├── bibliography.tex
│       ├── conclusion.tex
│       ├── introduction.tex
│       ├── preamble.tex
│       └── title_info.tex
└── main.tex
```

図 3.5 フォルダ myreport 内にファイル分割して保存したファイル群をルートファイル main.tex から読み込む（図 3.4 に対応）

しています（図 3.4 に対応しています）。ルートファイル main.tex から読み込まれる分割ファイル群はサブフォルダ contents に収納されています。

図 3.5 の配置で main.tex から分割ファイルを読み込むには次のように書きます。たとえば\input に分割ファイル preamble.tex（プリアンブル部でパッケージ読み込みなどを記載したファイルだと想定）を指定するにはファイルパスとして contents/preamble.tex と記述します。

```
1  \documentclass{jsarticle}
2  \input{contents/preamble.tex}
3  \input{contents/title_info.tex}
4  \begin{document}
5  \maketitle
6  \input{contents/abstract.tex}
7  \tableofcontents
```

```
8   \input{contents/introduction.tex}
9   ...
10  ...
11  \input{contents/conclusion.tex}
12  \input{contents/bibliography.tex}
13  \end{document}
```

　このファイル分割の方法を用いると、\input の前に % を
付けてコメントアウトすればそのファイルの読み込みスキッ
プを簡単に行うことができます。こうして指定したファイ
ルだけを組版対象として組版エラーを取り除くことができま
す。また、\input 行を入れ替えることによって容易に文書
構成の変更を試してみることも可能になります。

　作成する文書ファイルが長大になったときには、自然な文
書構造に従って選択した範囲を切り取って分割ファイルとし
て書き出し、それを読み込むように変更してみてください。
前もって相当な文書量が見込まれる場合には、最初からファ
イル分割方式を採用するとよいでしょう。

3.8　この章のまとめ

　この章では、章立て・節立てして文書を書くことを詳しく
取り上げました。数式や特別なレイアウトを含まない LaTeX
文書が書けるようになったと思います。

- LaTeX 文書の作成のたびに必要なファイルやデータ

を収納するためのプロジェクトフォルダ🗀 を作成する。この中にコンパイル対象とする LATEX ファイルのすべてを保存する。

- LATEX ファイルの先頭の\documentclass 行で文書クラスを指定し、\begin{document}行と\end{document}行の間に本文を書く。日本語文書クラスとして論文スタイル jsarticle が代表的。\documentclass 行と\begin{document}行の間をプリアンブル部といい、機能を拡張/追加するパッケージ読み込みや文書全体に対して影響力を持つ変数やマクロ、および表題情報を記載する。

- 表題情報は\title{タイトル}、\author{著者}および\date{日付}からなり、\begin{document}行直後の\maketitle によって組版される（これがないと表題は表示されない）。

- 本文では見出し行を配置して文書を分節化して文書構造を明確にする。論文スタイルでは\section{節名}、\subsection{項名}、および\subsubsection{目名}が見出し行として利用できる。

- \tableofcontents を書いておくと、連続した 2回のコンパイルで、見出し行に基づいて辻褄の合った目次が作成できる。

- 文章の段落を改めるには 1 行以上の空行またはコ

マンド\par を挿入する。

- LaTeX コマンドの先頭に付くバックスラッシュ\など の 10 文字が LaTeX の特殊文字となっている。 パーセント％から行末まではコメントとして扱わ れる。特殊文字を本文中で使うにはバックスラッ シュでエスケープするなどの方法がある。

- 画像ファイルを張り込むにはプリアンブル部 で\usepackage[dvipdfmx]{graphicx}とパッ ケージ graphicx を読み込んでおいて、本文中で \includegraphics を使って画像ファイルを取り 込む。

- 長大な文書の作成には本文などを分割ファイルに してルートファイルから読み込むようにすると効 率的な文書作成ができる。

第 **4** 章

文書を構成する書式

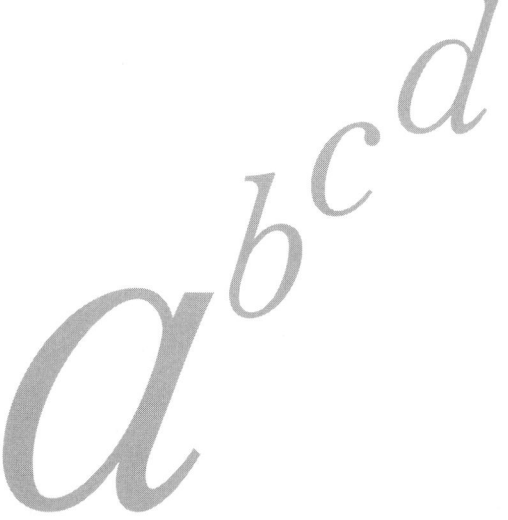

この章では文書をより一層読みやすくするための**書式**について紹介します。文書（document）は、公文書、新聞、書籍、レポートや論文などその目的や用途によってさまざまな様式（スタイル）に従って作成されています。

　LaTeX では、文書様式を文書クラスとしてファイル先頭の\documentclass で指定します。本書ではこれまでも広く流通している「日本語新ドキュメントクラス」の論文スタイル jsarticle を主に使ってきました。

　これに対して、文書のある部分に一定の役割を担わせる記述形式を**書式**（format）と呼んでいます。たとえば、指定した範囲が引用文だとわかるように記述するとか、中央に寄せたり、箇条書きとして書いたことがわかるように LaTeX ではそれぞれの書式が定められています。定めた様式の枠組みの中で書式に従って文章を書くことによって、首尾一貫した方針で文章を配置することが可能になります。

　この章では、本文中で使われるさまざまな書式を紹介します。こうした書式に従って文章を記載すると、コンパイルによって指定した文書クラスに応じた美しくレイアウトされた組版結果を誰でも簡単に得ることができます。

4.1　書式と環境

　LaTeX では、書式に従う記述のひとつとして\begin{環境名}で始まり\end{環境名}で終わる**環境**（environment）という方法を採用しています。環境の中で書体や文字の大きさを変えても、その影響は環境の外には及びません。

```
1  \begin{環境名}[オプション]
2    環境に支配される文章
3  \end{環境名}
```

　以下に、LaTeX 環境のいくつかを紹介していきます。

4.2　文書の概要

　表題情報を表示するための\maketitle に続いて、次のように abstract 環境内に文書の概要を書いておくと、読者は素早くその文書内容を把握することができます（図 4.1）。

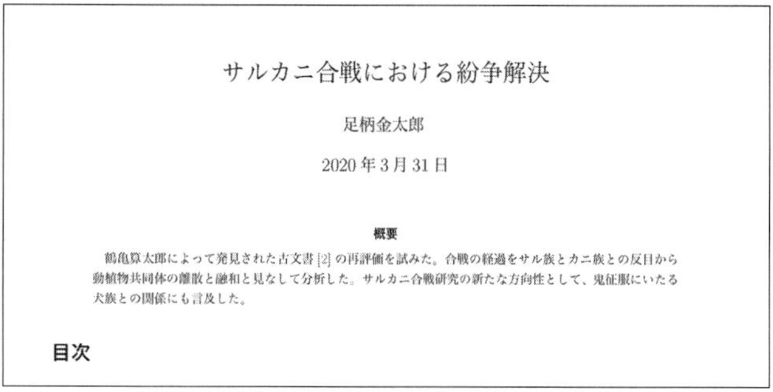

図 4.1　表題に続いて abstract 環境を使って概要を掲載

　概要は本文に比べて左右に余白がとられ小さな文字で表されます。概要を記述する文章の長さには制限はありません。

```
1  \begin{document}
2  \maketitle
```

```
3  \begin{abstract}
4  ...
5  文書の要旨
6  ...
7  \end{abstract}
8  \tableofcontents
9  ...
```

　abstract 環境で記述して組版したとき表示される '概要' は他の文字列に変更できます。たとえば、'抄録' に変更する には、プリアンブル部で次のように設定します。

```
1  \renewcommand{\abstractname}{抄録}
```

4.3　文の引用

　文書中に他の文章や誰かの発言などををそのまま借用する 際には、その文の左端の余白を余計にとって引用文を配置す るという慣習があります。このような文書表記を**引用**といい ます。LaTeX では、引用のために **quote 環境**と **quotation 環境**の 2 つが用意されています。

4.3.1　quote **環境**

　quote 環境内にある文章は、段落の切れ目を表す空行や \par があっても段落改行されず、すべて一様に字下げされ て出力されます。quote 環境の前後にはやや広めの空白が 確保されます。

```
1  \begin{quote}
2  さるかに合戦の勃発についての歴史的研究のための基本的方法
```

```
3    を提供したのは猿蟹大学の浦島田太郎の洞察であった。\par
4    彼の洞察はその後精密化され拡張されたが、今も多くの示唆に
5    富んでいる。\par
6    \hfill 花咲爺、『さるかに合戦の考古学』
7    \end{quote}
```

に対する出力は次のようになります。

> さるかに合戦の勃発についての歴史的研究のための基本的
> 方法を提供したのは猿蟹大学の浦島田太郎の洞察であった。
> 彼の洞察はその後精密化され拡張されたが、今も多くの示
> 唆に富んでいる。
>
> 花咲爺、『さるかに合戦の考古学』

4.3.2　quotation 環境

　quotation 環境は quote 環境と同様に引用文のために
使いますが、quote 環境とは異なり、空白行または\par に
よって通常文と同じように字下げされて段落の切れ目が表さ
れます。

> 　さるかに合戦の勃発についての歴史的研究のための基本的
> 方法を提供したのは猿蟹大学の浦島田太郎の洞察であった。
> 　彼の洞察はその後精密化され拡張されたが、今も多くの
> 示唆に富んでいる。
>
> 花咲爺、『さるかに合戦の考古学』

4.4　文を寄せる

　文章を揃えて左または右に寄せたり、中央に配置したい場
合があります。このようなときには、それぞれ **flushleft 環
境**（左寄せ）、**flushright 環境**（右寄せ）、**center 環境**（中
央寄せ）を使います。

これらの環境を使って文を寄せる際には、強制改行コマンド\\を利用することがあります。このとき、改行後の行頭文字の字下げは行われません。

```
1  \begin{flushright}
2  \LaTeX{}は世界中で\\
3  利用されている\\
4  文書整形の\\
5  定番です
6  \end{flushright}
7  \begin{center}
8  誰にでもできる\\
9  簡単な\\
10 入門
11 \end{center}
12 \begin{flushleft}
13 Linux、\\
14 Macintoshや\\
15 WindowsでもOKです
16 \end{flushleft}
```

　この出力は次のようになります。

LaTeX は世界中で
利用されている
文書整形の
定番です

誰にでもできる
簡単な
入門

Linux、
Macintosh や
Windows でも OK です

4.5　入力をそのまま表示

　キーボードから入力した文字列をそのまま表示するために
は、次のようにして **verbatim 環境** を使います。プログラ
ミング内容や本書のように LATEX のファイルの書き方を
説明するためなど、ソースファイル内のテキスト内容を直接
書き出すときに利用します。このような方法を**疑似タイプ
入力**といいます。

```
1  \begin{verbatim}
2  ...
3  そのまま表示したいテキスト
4  ...
5  \end{verbatim}
```

　verbatim 環境では、改行を含めて入力文字列がそのまま
Typewriter **書体** で出力されます。たとえば、

```
1  \begin{verbatim}
2  \LaTeX{}というコマンドや絵文字 (^^)を
3  表示するにはverbatim環境を使います。
4  \end{verbatim}
```

と書くと次のように verbatim 環境内の文字列がそのまま表
示されます。

```
\LaTeX{}というコマンドや絵文字 (^^) を
表示するには verbatim 環境を使います。
```

　verbatim 環境は行単位での出力ですが、本文中の文字
列としてそのまま表したい場合には、\verb コマンドを使
います。たとえば\LaTeX{}や (^^) と表示するためには、

\verb+\LaTeX{}+や\verb|(^^)|などと、そのまま表したい文字列に登場しない文字（この例では+や|）で\verbに続けて文字列を挟んで書きます。LaTeX コマンドであっても\verb を使うと本来の意味機能を停止してそのまま出力されます。

また、\begin{verbatim*}...\end{verbatim*}あるいは\verb*のように * を付けて用いると、そこに現れる空白文字が␣のように表示されます。

ただし、\section{...}などの見出しや図表の\caption{...}内で\verb コマンドはそのままでは使えないため、cprotect パッケージを利用するなど工夫が必要になります。

4.6 箇条書き

文章の要点を簡潔に表現するためにしばしば箇条書きが利用されます。箇条書きをするための環境として LaTeX では 3 つの環境、**itemize 環境**（単純箇条書）、**enumerate 環境**（列挙箇条書）および **description 環境**（見出し付き箇条書) が用意されています。

4.6.1 itemize 環境

itemize 環境（単純箇条書）は箇条項目の順番を入れ替えても意味的問題が生じないときに使われる箇条書きです。単純箇条書では各文章の前に印 ● が付きます。

● itemize 環境では箇条項目に ● が付きます。

- enumerate 環境では箇条項目に番号が付きます。

- description 環境では箇条項目に見出しを付けることがで
きます。

と出力するためには、次のように書きます。

```
1  \begin{itemize}
2  \item itemize環境では箇条項目に$\bullet$が付きます。
3  \item enumerate環境では箇条項目に番号が付きます。
4  \item description環境では箇条項目に見出しを付けることが
   できます。
5  \end{itemize}
```

　\item に続けて箇条文を書きますが、\item の後に空白
␣、または改行が必要です。

　箇条項目の登場の順番を変えると意味が通じなくなると
きには、次の列挙箇条書を採用すべきです。

4.6.2　enumerate 環境

　enumerate 環境（列挙箇条書）では\item に続けて箇
条文を書くと（\item の後に空白␣または改行が必要）、列
挙した順に順序番号（通常はアラビア数字）が振られます。

　箇条項目の順番を入れ替えても問題が生じない場合には
単純箇条書にすべきです。単純箇条書にするか列挙箇条書
にするか、その理由を考えてから適切な箇条書環境を選んで
ください。

1. itemize 環境では箇条項目に ● が付きます。

2. enumerate 環境では箇条項目に番号が付きます。

3. description 環境では箇条項目に見出しを付けることが

できます。

と順序数を付けて出力するには、次のように書きます。

```
1  \begin{enumerate}
2  \item itemize環境では箇条項目に$\bullet$ が付きます。
3  \item enumerate環境では箇条項目に番号が付きます。
4  \item description環境では箇条項目に見出しを付けることが
   できます。
5  \end{enumerate}
```

4.6.3 description 環境

　description 環境（見出し付き箇条書）では、\item[見出し] に続けて箇条文を書くと次のようになります。

単純箇条書 itemize 環境では箇条項目に ● が付きます。
列挙箇条書 enumerate 環境では箇条項目に番号が付きます。
見出し付き箇条書 description 環境では箇条項目に見出し
　　を付けることができます。

このために次のように書きました。

```
1  \begin{description}
2  \item[単純箇条書] itemize環境では箇条項目に$\bullet$が
   付きます。
3  \item[列挙箇条書] enumerate環境では箇条項目に番号が付き
   ます。
4  \item[見出し付き箇条書] description環境では箇条項目に見
   出しを付けることができます。
5  \end{description}
```

4.7　ネストされた環境

LATEX 環境のほとんどでは、次のように環境 A 内で環境
B や環境 C を使う（さらにその内部で環境 D を使う）、つ
まり環境を階層化させて使うことができます。

```
 1  \begin{環境A}
 2     ...
 3      \begin{環境B}
 4         ...
 5          \begin{環境D}
 6          ...
 7          \end{環境D}
 8      ...
 9      \end{環境B}
10         ...
11      \begin{環境C}
12      ...
13      \end{環境C}
14  \end{環境A}
```

このように環境の中の文章でさらに環境を使うことを**環
境のネスト**といいます。

単純箇条書の環境を次のようにネストさせて書いてみま
しょう。

```
 1  \begin{itemize}
 2  \item 単純箇条書第 1 レベル
 3      \begin{itemize}
 4      \item 単純箇条書第 2 レベル
 5          \begin{itemize}
 6          \item 単純箇条書第 3 レベル
 7              \begin{itemize}
 8              \item 単純箇条書第 4 レベル
 9              \end{itemize}
```

```
10        \end{itemize}
11      \end{itemize}
12  \item 単純箇条書第 2 レベル
13  \end{itemize}
```

　すると、次の組版結果が得られます。

● 単純箇条書第 1 レベル

　　・単純箇条書第 2 レベル

　　　＊単純箇条書第 3 レベル

　　　　.単純箇条書第 4 レベル

● 単純箇条書第 2 レベル

　同様に、列挙箇条書の環境を次のようにネストさせてみましょう。

```
1  \begin{enumerate}
2  \item 列挙箇条書第 1 レベル
3      \begin{enumerate}
4      \item 列挙箇条書第 2 レベル
5          \begin{enumerate}
6          \item 列挙箇条書第 3 レベル
7              \begin{enumerate}
8              \item 列挙箇条書第 4 レベル
9              \end{enumerate}
10          \end{enumerate}
11      \end{enumerate}
12  \item 列挙箇条書第 2 レベル
13  \end{enumerate}
```

　このとき、次の組版結果が得られます。

1. 列挙箇条書第1レベル

   (a) 列挙箇条書第2レベル

      i. 列挙箇条書第3レベル

         A. 列挙箇条書第4レベル

2. 列挙箇条書第2レベル

　環境をネストすると、LaTeX 構文上の対応関係が複雑になり、誤りが生じやすくなります。環境の記載においては、\begin{環境}と対応する\end{環境}の列を揃えるなどの視覚的な工夫やコメントを挿入するなどして、文書構造をわかりやすくするように心掛けます（プログラム言語を記述するときと同様な配慮です）。

4.8　脚注と傍注

　LaTeX では、**脚注**（footnote）や**傍注** を欄外に書くことができます（ここでは画像を傍注としました）[*1]。ここでは次のように書いています。

```
1  脚注（footnote）や傍注
2  \marginpar{画像を指定}
3  を欄外に書くことができます（ここでは画像を傍注としました
   ）
4  \footnote{
5  \label{this_footnote}
6  傍注はページの左右いずれかの余白に表示されるため、
```

[*1] 傍注はページの左右いずれかの余白に表示されるため、十分な余白がない文書での利用は避けましょう。

```
7  十分な余白のない文書での利用は避けましょう。
8  }。
```

　脚注を付けると該当箇所の肩に * と脚注番号が付けられ、同一ページ下のフッタに脚注文が表示されます。脚注文の分量には特に制約はありません。脚注文の冒頭に\label{ラベル名} でラベルを付けて、文中の任意の場所で \ref{ラベル名} によって脚注番号を参照することができます。脚注や傍注で\verb コマンドを使うためには、fancyvrb パッケージを読み込んだうえで、\begin{document}の後で\VerbatimFootnotes と書くなどの対策が必要です。

4.9　LATEX で使われる文字

　印刷では、文字の大きさを**ポイント**という単位で表すことがあります。これは 1 インチを約 72 ポイント [*2] と考えて文字の大きさを計る方法で、単位は pt です。

4.9.1　基本文字サイズと用紙サイズ

　LATEX の文書クラスでは文書のページサイズや基本となる文字の大きさを変更するオプションがあります。日本語新ドキュメントクラス（jsarticle や jsbook）では A4 判に基本欧文文字 10pt をデフォルトとしていますが、これを変えるにはファイル先頭の\documentclass に続く [ ] 内に次のようにしてオプションをコンマ（,）区切りで並べます。

[*2] 厳密には LATEX では 1 ポイントは 1/72.27 インチ（1 インチは 2.54cm）。Word では 1 ポイントを 1/72 インチとしています。

```
1  \documentclass[b5paper,papersize,11pt]{jsbook}
```

　表 4.1 に日本語新ドキュメントクラスで指定できる基本
文字サイズと用紙サイズをまとめました。上の例のように
b5paper に加えて papersize を指定しておき、用紙 B4 設
定で印刷すると 1 枚あたり 2 ページ分が印刷されます。

表 4.1　日本語新ドキュメントクラス（jsarticle や jsbook）
で指定できる基本文字サイズと用紙サイズ

文字サイズ	意味
10pt	基本欧文文字を 10 ポイントに（デフォルト）
11pt	基本欧文文字を 11 ポイントに
12pt	基本欧文文字を 12 ポイントに

用紙サイズ	意味
a4paper	A4 判（210mm×297mm）（デフォルト）
a5paper	A5 判（148mm×210mm）
b4paper	B4 判（257mm×364mm）
b5paper	B5 判（182mm×257mm）
papersize	出力する PDF サイズを用紙サイズに合わせる

4.9.2　書体の変更

　一定の文字体系にあるそれぞれの字体をある一貫した方
針でデザインした文字の集まりを**書体**（typeface）といいま
す。和文印刷用の代表的書体として明朝体やゴシック体が
あります。

　一方、**フォント**（font）とは、ある書体を表現するために
印刷・表示に使う同じ大きさの一揃いの活字（そのデータ
セット）です。したがって、同じ書体でも提供するメーカに

よって多数のフォントがあります。

　LATEX でも書体指定やその大きさを変更することができます。ただし、LATEX 文書作成には、ワードプロセッサのように指定した文字列をリストにあるフォントから自在に選んで組版するというお手軽さがありません。

　LATEX でも多彩なフォントを利用することが可能ですが、今の段階ではその設定には専門的な知識が必要になります。本書では詳しく扱いませんが、LATEX の教科書 [1] には 70 ページを費やして多彩なフォント利用を解説しています。ぜひ参考にしてください。

　以下では、書体指定について紹介します。

4.9.3　和文書体

　標準的な LATEX の和文書体には、明朝体とゴシック体の 2 書体があります。見出しなどを除いて特に指定しなければ、本文は明朝体で組版されます。本文中の和文文字列を部分的に**ゴシック体**（Gothic）に変更するには\textgt{...} を次のように使います。

1　強調したい文字列には\textgt{ゴシック体}が使われます。

　ボールド体（bold）を指定する\textbf{...}を使っても、和文ではゴシック体になる場合がありますが、設定に依存するのでゴシック体を使うというのであれば\textgt を使うのがよいでしょう。

4.9.4　欧文書体

　LATEX で利用できる欧文書体の指定法を表 4.2 に示しま

した。デフォルトではローマン体（Roman）が使われます。
和文のゴシック体指定と同様に{...}で文字列範囲を指定します。

表 **4.2**　欧文書体の指定

出力	入力	主な用途
Roman	\textrm{Roman}	デフォルト
Boldface	\textbf{Boldface}	見出し
Italic	\textit{Italic}	強調や書名
Slanted	\textsl{Slanted}	*Italic* の代用
Sans Serif	\textsf{Sans Serif}	見出しなど
typewriter	\texttt{typewriter}	コンピュータ入出力
Small Caps	\textsc{Small Caps}	Italic の代用や強調
*Emphasis**	\emph{Emphasis}	強調

* 周囲がイタリックの中ではローマンになります。

4.9.5　文字サイズ

基本文字サイズを標準（normalsize）からの相対サイズとして指定するコマンドを表 4.3 に示しました。

文字列範囲を定めないで文字サイズを変更すると、それ以降の環境内あるいは文書全体に影響が及びます。文中の文字範囲を指定して大きさを変更するには、{\scriptsize **大きさを変更する**}のように、文字列とサイズ変更コマンドを含めて{ }で括って文字サイズを変更します。

不用意に文字サイズを変更すると文書の統一感が失われ、かえって読みにくくなってしまいます。文字サイズ変更は慎重な吟味のもとに行います。

表 4.3　文字サイズを変える命令

出力	コマンド
tiny	`{\tiny␣}`
scriptsize	`{\scriptsize␣}`
footnotesize	`{\footnotesize␣}`
small	`{\small␣}`
normalsize 標準	small`{\normalsize␣}`
large	`{\large␣}`
Large	`{\Large␣}`
LARGE	`{\LARGE␣}`
huge	`{\huge␣}`
Huge	`{\Huge␣}`

4.10　シンボル・特殊記号の表現

　Göthe（ゲーテ）や François（フランソワ）などに登場するアクセントが付いた ö や ç、円周率 π、γ 線などのギリシャ文字、±1、無限大 ∞ などの数学記号は日常的に使われています。LaTeX では豊富な記号が用意されており、これらを自在に組み合わせて美しい文書を作成できることが魅力のひとつです。

　文中でギリシャ文字や記号を利用するためには**行内数式**（インラインモード）として記述します。第 5 章で詳しく説明しますが、行内数式は記号$で囲まれた範囲$...$に数式を記述します。

　ここでは数式として取り扱いませんが、たいへん重宝するので積極的に使ってみてください。たとえば、 ♡ を表すた

めには $\heartsuit$ と書きます。

4.10.1　ギリシャ文字

　ギリシャ文字は$で囲まれた数式モード内で表 4.4 にある
コマンドを使って表します。数式モードでは、1 つの文字や
記号だけでなく複数の文字を $\alpha \to \infty$ と並べて表記するこ
とができます。ピタゴラス $\Pi\upsilon\theta\alpha\gamma\acute{o}\rho\alpha\varsigma$ は少々面倒ですが、
行内数式モードを使って

```
1  $\Pi\upsilon\theta\alpha\gamma\acute{o}\rho\alpha\varsigma$
```

と書きます。

　$\alpha␣\beta␣\gamma$ と空白を挟んでも同じく $\alpha\beta\gamma$
と出力されます。ピタゴラスでは o にアクセント $\acute{o}$ を
付けたのでコマンドの区切りが明瞭でした。場所を意
味するトポス $\tau\acute{o}\pi o\varsigma$ は、ギリシャ文字を表す π (\pi)
と o (o) を続けると存在しないコマンド \pio になっ
てしまうので空白␣を挟むか\pi{}o と{}で区切って、
$\tau\acute{o}\pi{}o\varsigma$ と書きます。

4.10.2　記号

　ギリシャ文字以外にも数式モードで使うことができる記
号・シンボルの一部を表 4.5 に載せました。これらのギリ
シャ文字や記号は LaTeX ではいつでも利用できます。

　アメリカ数学会が数学論文用に提供している数式・数学記
号用のパッケージ amsmath と amssymb を使うと、表記で
きる記号・シンボルがぐんと増加し LaTeX 表現をさらに豊

表 4.4　数式モードで使用できるギリシャ文字

出力	入力	出力	入力	出力	入力
α	\alpha	β	\beta	γ	\gamma
δ	\delta	ϵ	\epsilon	ε	\varepsilon
ζ	\zeta	η	\eta	θ	\theta
ϑ	\vartheta	ι	\iota	κ	\kappa
λ	\lambda	μ	\mu	ν	\nu
ξ	\xi	o	o	π	\pi
ϖ	\varpi	ρ	\rho	ϱ	\varrho
σ	\sigma	ς	\varsigma	τ	\tau
υ	\upsilon	ϕ	\phi	φ	\varphi
χ	\chi	ψ	\psi	ω	\omega
Γ	\Gamma	Λ	\Lambda	Σ	\Sigma
Ψ	\Psi	Δ	\Delta	Ξ	\Xi
Υ	\Upsilon	Ω	\Omega	Θ	\Theta
Π	\Pi	Φ	\Phi	$\sum$	\sum
$\prod$	\prod				

かにすることができます。読み込んだパッケージを必ずしも使う必要はありませんから、プリアンブル部にはいつも

```
1  \usepackage{amsmath,amssymb}
```

と記載しておくとよいでしょう。こうしておくと、たとえば、ギリシャ文字 π の太字 $\boldsymbol{\pi}$ が\$\boldsymbol{\pi}\$で表記でき、不等号記号も $\leqq$（\$\leqq\$）、$\geqq$（\$\geqq\$）、$\lneqq$（\$\lneqq\$）、$\gneqq$（\$\gneqq\$）などが使用できるようになります。

表 4.5　数式モードで利用できる記号・シンボル

出力	入力	出力	入力
±	\pm	∓	\mp
×	\times	÷	\div
∗	\ast	⋆	\star
∘	\circ	•	\bullet
·	\cdot	◇	\diamond
△	\bigtriangleup	▽	\bigtriangledown
◁	\triangleleft	▷	\triangleright
○	\bigcirc	†	\dagger
≤	\leq	≥	\geq
≡	\equiv	∼	\sim
≃	\simeq	≈	\approx
≠	\neq	∝	\propto
⊥	\perp	∥	\parallel
←	\leftarrow	⇐	\Leftarrow
→	\rightarrow	⇒	\Rightarrow
↔	\leftrightarrow	⇔	\Leftrightarrow
⟵	\longleftarrow	⟸	\Longleftarrow
⟶	\longrightarrow	⟹	\Longrightarrow
↑	\uparrow	⇑	\Uparrow
↓	\downarrow	⇓	\Downarrow
↕	\updownarrow	⇕	\Updownarrow
↗	\nearrow	↘	\searrow
↙	\swarrow	↖	\nwarrow
∠	\angle	♭	\flat
♮	\natural	♯	\sharp
\	\backslash	∂	\partial
∞	\infty	△	\triangle
♣	\clubsuit	♢	\diamondsuit
♡	\heartsuit	♠	\spadesuit

表 4.6 特殊記号

出力	入力	出力	入力
%	\%	#	\#
{	\{	}	\}
$	\$	&	\&
^	\textasciicircum	~	\textasciitilde
_	_	\	\textbackslash
§	\S	¶	\P
†	\dag	‡	\ddag
£	\pounds	¥	Y\llap=
œ	\oe	Œ	\OE
æ	\ae	Æ	\AE
å	\aa	Å	\AA
ø	\o	Ø	\O
ß	\ss	ç	\c{c}
¿	?`	¡	!`
ı	\i	ȷ	\j
'	`	'	'
"	``	"	''
-	-	–	--
—	---		
LaTeX	\LaTeX	TeX	\TeX

数式モードで利用するには、AMS パッケージ amsmath をプリアンブル部で読み込んでおいたうえで、\$\text{Gau\ss}\$と書いて Gauß と表示する

4.10.3 特殊文字とアクセント記号

#や†のような特殊文字は表4.6のようにして出力します。'ı' や 'ȷ' のように、ドットのない英字も出力できます。また、ハイフン - と 2 分ダッシュ – と全角ダッシュ — の使い分けも区別されます。

フランス語などでは、通常のアルファベットに**アクセント記号**を組み合わせます。たとえば、\c{c} でセディーユ（Cédille）を付した c を表し、française を表記できます。ア

表 4.7　アクセント記号

名前	入力	出力	名前	入力	出力
grave	\`{a}	à	tilde	\~{o}	õ
check	\v{s}	š	acute	\'{e}	é
bar	\={y}	ȳ	long	\H{j}	j̋
hat	\^{o}	ô	dot	\.{p}	ṗ
tie-after	\t{\i u}	ı͡u	umlaut	\"{u}	ü
breve	\u{\i}	ı̆	dot-under	\d{h}	ḥ
bar-under	\b{o}	o̲	cedilla	\c{c}	ç
ring	\r{a}	å	ogonek	\k{a}	ą

クセント記号を表 4.7 に載せました。

4.11　この章のまとめ

この章では、文書をさまざまな書式に従って書いたり、LaTeX が持つ多彩な記号や文字の表し方を紹介しました。この章までで数式を除く大抵の文章を美しく組版できるようになりました。

- LaTeX では文書様式を文書クラスとして指定し、書式を含む文章内容と分離して考える。
- 文章に一定の役割を担わせる記述形式を書式といい、LaTeX では環境を使って\begin{環境}...\end{環境}で記述する。
- 文書の要約を記載する abstract 環境、引用のための quote/quotation 環境、文を寄せる

flushleft/flushright/center 環境、箇条書き
　　のために itemize/enumerate/description 環
　　境などがある。

- 大抵の環境では環境をネストすることができ、文章の役割を明確にした文書が作成できる。

- 文章に注釈を付けることができる。

- 文書クラス指定行\documentclass で用紙サイズや基本文字サイズをオプションで指定することができる。

- 文章の書体を変更することができる。和文の一部を太文字とするには\textgt{ゴシック}とする。文字サイズも変更することができるが、文書体裁を崩すことがある。

- 文章にギリシャ文字や特殊記号を混在させるには数式モード$...$内でコマンドとして記述する。

- さまざまなアクセント記法がある。

第 **5** 章

数式を書く

a^{bcd}

複雑な数式が美しく組版された文書を作成することは LaTeX の醍醐味です。そのために LaTeX に接したという人も多いと思います。基本的な数式表現の考え方を理解すれば、思い描いた複雑な数式を LaTeX で表現することは難しいことではありません。

　6×10^{23} や $\sqrt{a^2 + b^2}$ のような数式だけでなく、化学式 H_2O なども、LaTeX の数式表現として得られます。

5.1　2つの数式モード

　LaTeX で数式を表すには、文章中で数式を表示する**行内数式**（インラインモード）と、数式のみの行を表示する**ディスプレイ数式**（ディスプレイモード）の2つの数式モードがあります。

　行内数式モードでは、行内に数式を \(と \) とで、または $ 同士で挟んで、

```
1    ここに $数式$ を書く
```

のように書きます。

　数式表示のために行を設けるディスプレイ数式モードでは、数式を \[と \] とで、または $$ 同士で挟んで、

```
1    \[
2        数式
3    \]
```

のように書きます。

　例を見てみましょう。

　　　式 $x^2 + y^2$ はディスプレイ数式で

$$x^2 + y^2$$

と表される。

と出力するためには、次のように書きます。

```
1  \documentclass{jsarticle}
2  \begin{document}
3  式 $x^2 + y^2$ はディスプレイ数式で
4  \[
5  x^2 + y^2
6  \]
7  と表される。
8  \end{document}
```

　数式の具体的な書き方を説明する前に、全般的な注意点を
いくつかまとめておきます。

- ディスプレイ数式で表した数式はデフォルトでは行の
  中央に配置されます。ディスプレイ数式を文書内で数
  式の左端を揃えて出力したい場合には、ファイル冒頭
  の文書クラスにオプションとして fleqn を指定して、
  \documentclass[fleqn]{jsarticle}とします。

- $...$（あるいは\(...\)）や\[...\]（あるいは$$...$$）
  内の数式表現に改行\\があっても構いませんが、組版さ
  れた数式表現は改行されません。しかし、空白行を含むと
  エラーになるので注意してください。

- 数式表現内に空白 ␣ があっても出力は変わりません。わ
  かりやすいように自由に空白を使ってください。

　数式モードでは LaTeX コマンド以外の欧文文字はイタリ
ック体で組版されます。数式内で英単語などを使用すると

${coffee}^2$ が $coffee^2$ のように文字の間隔がおかしくなることがあります。数式内の文の記述には、アメリカ数学会のパッケージを読み込んでおき、\text コマンドを使ってcoffee^2と書いて coffee² と組版するなどの対策が必要です（節 5.7 参照）。

数式における関数などの標準的表記（$\sin, \log, \det$ や $\lim, \max, \inf$ など）はイタリック体ではなく**立体**で書くという習慣があります（そのように表したほうが $\sin x$ や $\det M$ のようにわかりやすくなります）。たいていは LaTeX にコマンドが用意されていて、\sin,\log,\det や \lim,\max,\inf などと書きます。

数式内で特殊記号である左右ブレース { } を使うにはエスケープして\{, \}を使います（たとえば、$A=\{1,2,3\}$は $A = \{1, 2, 3\}$ と組版されます）。

5.2 下付き文字と上付き文字

ここでは a_n や x^2 のような、**下付き**（subscript）文字や**上付き**（superscript）文字を表示する方法を説明します。

まず、 箱 $_{足元箱}$ のように、「箱」の右下に小さく「足元箱」を下付きで出力するには、数式内でアンダースコア (_) を使って次のように指定します。

1 箱_{足元箱}

一方、 箱 ^{載せる箱} のように、「箱」の右上に小さく「載せる箱」を上付きで出力するには、数式内でキャレット (^)

を使って次のように指定します。

1 箱^{載せる箱}

　たとえば、x^{10}と書けば x^{10} と表示され、a_{jk}
と書けば a_{jk} のようになります。ブレース{}なしでx^10
と書いてしまうと $x^1 0$（a_jkは $a_j k$）となってしまうこ
とに注意してください。ただし、1つの記号だけが下付きあ
るいは上付きとなる場合は左右のブレースを省略することが
できます（a_kは a_k となります）。

「箱」はどんな数式でも構いませんが、どれが「箱」であるか
を LaTeX が認識できるように記述することが大切です。次
の例を観察してください。

```
$a^{b^{c^d}}$                    → a^{b^{c^d}}
$F_{y_k}$                        → F_{y_k}
$R^m_{ikp}$                      → R^m_{ikp}
$R^m{}_{ikp}$                    → R^m{}_{ikp}
$^{13}\textrm{C}$                → ^{13}C
${}_nC_r + {}_nC_{r-1}={}_{n+1}C_r$
                                 → {}_nC_r + {}_nC_{r-1} = {}_{n+1}C_r
```

5.3 分数 \frac

　分数（fraction）は簡便に a/b と書くこともありますが、
行内数式でも次のように書くことができます。

1 \frac{分子}{分母}

　行内数式では '1行分' に押し込められてしまいますが、
ディスプレイ数式では分数本来の姿で出力されます。

式 $\frac{1}{a} + \frac{1}{b} = \frac{a+b}{ab}$ はディスプレイ数式で

$$\frac{1}{a} + \frac{1}{b} = \frac{a+b}{ab}$$

と表される。

これは次のように書かれたものです。

```
1  式 $\frac{1}{a} + \frac{1}{b} = \frac{a+b}{ab}$ は
2  ディスプレイ数式で
3  \[
4  \frac{1}{a} + \frac{1}{b} = \frac{a+b}{ab}
5  \]
6  と表される。
```

行内でディスプレイ数式のように $\dfrac{b}{a}$ と出力したい場合には、ディスプレイ出力コマンド\displaystyle を使って $\displaystyle\frac{b}{a}$ と書きます。

分子や分母は任意の表式で構いません。

$$\frac{a^2 + b^2}{x^2 + y^2}$$

は\[\frac{a^2+b^2}{x^2+y^2} \] と書いています。数式の中で何が「箱」となるかを意識すると複雑な数式を書くことができるようになります（節 5.7.3 も参照）。

5.4 添字を取る記号

極限記号 lim (\lim)、総和記号 $\sum$ (\sum)、総積記号 $\prod$ (\prod)、積分記号 $\int$ や $\oint$ (\int, \oint)、和集合記号 $\cup$ (\cup) や $\bigcup$ (\bigcup)、積集合記号 $\cap$ (\cap) や $\bigcap$

（\bigcap）など、下付きや上付きの添字と組み合わせて使う記号があります（添字指定なしでも使えます）。

ディスプレイ数式で\[\sum_{n=1}^\infty \] と書くと、

$$\sum_{n=1}^{\infty}$$

となります。行内数式で$\sum_{n=1}^\infty$と書くと $\sum_{n=1}^{\infty}$ と出力され、上下限の添字の付き方が変わります。

積分も同様で、\[\int_a^b f(x)dx \] と書く

$$\int_a^b f(x)dx$$

は、行内数式で$\int_a^b f(x)dx$と書くと $\int_a^b f(x)dx$ のように出力されます。

これまでのことを組み合わせて少し複雑な数式を書いてみましょう。次の式は $\zeta(2)$ を与える Euler の Basel 公式と呼ばれるものです。

$$\sum_{n=1}^{\infty} \frac{1}{n^2} = \lim_{n \to \infty} \left(\frac{1}{1^2} + \frac{1}{2^2} + \cdots + \frac{1}{n^2} \right) = \frac{\pi^2}{6}$$

これは次のように書いています。

```
1  \[
2  \sum_{n=1}^\infty \frac{1}{n^2} =
3     \lim_{n\rightarrow\infty}
4     \left(
5        \frac{1}{1^2} + \frac{1}{2^2}
6        + \cdots + \frac{1}{n^2}
7     \right) = \frac{\pi^2}{6}
8  \]
```

この例では、分数を何度も使っています。\left(に対応して\right)が配置され、区切り記号（今の場合は (と)）の大きさが自動的に調整されていることなどを観察してください。この記入例は一見複雑そうに見えますが、何が「箱」に相当するかがわかるように空白文字を使って入力テキスト位置を調整するなどの工夫をしています。

　また、次の数式を眺めてみます。

$$\sum_{n=1}^{\infty} \frac{1}{n^2} = \prod_{p:\text{prime}} \frac{1}{1-p^{-2}} = \frac{1}{1-(\frac{1}{2})^2} \cdot \frac{1}{1-(\frac{1}{3})^2} \cdot \frac{1}{1-(\frac{1}{5})^2} \cdots$$

　ここでは、分数の分母の中でさらに分数を使っています。\cdot は · を表す数式コマンドです。

```
1  \[
2  \sum_{n=1}^\infty \frac{1}{n^2} =
3    \prod_{p: {\scriptsize \textrm{prime}}}
4      \frac{1}{1-p^{-2}}
5        =\frac{1}{1-(\frac{1}{2})^2}\cdot
6        \frac{1}{1-(\frac{1}{3})^2}\cdot
7        \frac{1}{1-(\frac{1}{5})^2}\cdots
8  \]
```

5.4.1　数式番号の参照 \eqref

　ディスプレイ数式で\[...\]（あるいは$$...$$）の代わりに、**equation 環境**

```
1  \begin{equation}
2      数式
3  \end{equation}
```

を使うと、数式の出現順に通し番号が付きます。

正弦関数の加法公式は次のようになる。

$$\sin(x + y) = \sin x \cos y + \cos x \sin y \qquad (1)$$

これは正弦関数 $\sin$ を表すコマンド\sin を使って次のように書いています。equation 環境内には空行があってはいけません。

```
1  正弦関数の加法公式は次のようになる。
2  \begin{equation}
3      \sin(x+y) =\sin x \cos y + \cos x \sin y
4  \end{equation}
```

節 2.3.5 では Cloud LaTeX を使って相互参照の方法を紹介しました。数式番号もまた equation 環境内にラベル名を設定することによって、文中の任意の場所からコマンド\eqref によってラベルに割り当てられた式番号を参照することができます。次の例を見てください。

正弦関数の加法公式は次のようになる。

$$\sin(x + y) = \sin x \cos y + \cos x \sin y. \qquad (1)$$

角度 $\theta_1 = \pi/4$ と $\theta_2 = \pi/6$ での値 $\sin \theta_1 = \cos \theta_1 = 1/\sqrt{2}$, $\sin \theta_2 = 1/2$, $\cos \theta_2 = \sqrt{3}/2$ を使うと、式 (1) から、$\sin$ の角度 $5\pi/12$ での値が得られる。

$$\sin\left(\frac{\pi}{4} + \frac{\pi}{6}\right) = \frac{1}{\sqrt{2}} \cdot \frac{\sqrt{3}}{2} + \frac{1}{\sqrt{2}} \cdot \frac{1}{2} \qquad (2)$$

この出力は次のように書いて得られました。平方根 $\sqrt{}$ を表す\sqrt{...}を使っています。

```
1  正弦関数の加法公式は次のようになる。
2  \begin{equation}
3  \label{sn_addition_formula}
4    \sin(x+y) = \sin x \cos y + \cos x \sin y.
5  \end{equation}
6  角度 $\theta_1 = \pi/4$と$\theta_2 = \pi/6$ での値
7  $\sin\theta_1 = \cos\theta_1 = 1/\sqrt{2}$,
8  $\sin\theta_2 = 1/2, \cos\theta_2 = \sqrt{3}/2$
9  を使うと、式\eqref{sn_addition_formula}から、
10 $\sin$ の角度 $5\pi/12$ での値が得られる。
11 \begin{equation}
12 \label{special_value_of_sin}
13   \sin\left(\frac{\pi}{4}+\frac{\pi}{6}\right) =
14   \frac{1}{\sqrt{2}} \cdot \frac{\sqrt{3}}{2} +
15   \frac{1}{\sqrt{2}} \cdot \frac{1}{2}
16 \end{equation}
```

　ただし、\begin{equation*}...\end{equation*}のように equation 環境で*を付けると数式番号は表示されません。このときには、ラベルを使った式番号参照は無効になります。節 5.8 で紹介する gather 環境や align 環境でも *付きで使うと数式番号が表示されなくなります。

5.5　大きさが変化する記号

　ディスプレイ数式および行内数式の組版は美しい出力が得られるように自動調整されます。

　たとえば根号記号 $\sqrt{}$ は、次の例のように根号記号の中の「箱」にあわせて大きさが調整されることがわかります。

2次方程式

$$\tau^2 = 1 + \tau$$

の正根 $\tau \approx 1.618034$ を黄金比という。両辺の平方根を取ると

$$\tau = \sqrt{1 + \tau}.$$

さらに、右辺にある τ にこの表式を代入して

$$\tau = \sqrt{1 + \sqrt{1 + \tau}}.$$

これより、黄金比 τ は次の無限多重根号表現を持つことがわかる。

$$\tau = \sqrt{1 + \sqrt{1 + \sqrt{1 + \cdots}}}.$$

ここでは次のように根号記号\sqrt{...}をネストして使っています。ちなみに\sqrt[n]{...}とオプションを指定して n 乗根を表すことができます（デフォルトは2乗根）。

```
1  2次方程式
2  \[
3  \tau^2 = 1 + \tau
4  \]
5  の正根$\tau\approx 1.618034$を黄金比という。
6  両辺の平方根を取ると
7  \[
8  \tau = \sqrt{1 + \tau}.
9  \]
10 さらに、右辺にある$\tau$にこの表式を代入して
11 \[
12 \tau = \sqrt{1 + \sqrt{1 + \tau}}.
13 \]
14 これより、黄金比$\tau$は次の無限多重根号表現を持つことが
   わかる。
15 \[
16 \tau = \sqrt{1 + \sqrt{1 + \sqrt{1 + \cdots}}}.
17 \]
```

表 5.1 大きさ調整可能な括弧記号

出力	入力	出力	入力
(x)	(x)	$[x]$	[x]
$\{x\}$	\\{ x \\}	$\lfloor x \rfloor$	\lfloor x \rfloor
$\lceil x \rceil$	\lceil x \rceil	$\langle x \rangle$	\langle x \rangle

　大きさの調整が可能な括弧 {} (表 5.1) や縦棒 | (表 5.2) などの記号を自分でサイズ調整するコマンド群もあります。大きくなる順に次が使えます。\big < \Big < \bigg < \Bigg

括弧などは左右の区別があるため、バランスをよくするように左側と右側に対応する次のようなサイズ調整コマンドがあり、

\bigl↔\bigr

\Bigl↔\Bigr

\biggl↔\biggr

\Biggl↔\Biggr

これらを一対にして使います。

　次に、ブレース対 {} を標準から最大まで大きさを \bigl\{ \bigr\}などを使ってサイズ調整した例を示します。

$$標準\{\} \quad < \quad \Big\{\Big\} \quad < \quad \bigg\{\bigg\} \quad < \quad \Bigg\{\Bigg\}最大$$

　便利な機能として、大きさの調整を通常は組になって使う記号（たとえば () や {} など）に対してコマンド\left と\right を対にして使うことで、記号サイズの自動調整をすることができます。たとえば、Legendre 多項式 $P_n(x)$ の

表 5.2 大きさ調整可能な縦棒記号

出力	入力	出力	入力
/	/	\	\backslash
|	\vert	||	\Vert
↑	\uparrow	↓	\downarrow
⇑	\Uparrow	⇓	\Downarrow
↕	\updownarrow	⇕	\Updownarrow

微分形（Rodrigues の公式）、

$$P_n(x) = \frac{1}{2^n n!} \left(\frac{d}{dx} \right)^n (x^2 - 1)^n$$

は次のように書いて括弧 () の大きさを自動調整しています。

```
1  \[
2  P_n(x)=
3     \frac{1}{2^n n!}
4       \left(\frac{d}{dx}\right)^n
5         (x^2-1)^n
6  \]
```

　\left と\right で指定する記号は必ずしも対になってい
なくても構いません。対応する左側（または右側）の記号
がない場合には、ピリオド（.）を使って、\left.（または
\right.）と書くことで次のように自動調整されます。

$$\left. \frac{df(x)}{dx} \right|_{x=a}$$

　これは次のように書いています。

```
1  \[
2  \left. \frac{df(x)}{dx} \right\vert_{x=a}
3  \]
```

5.6 array 環境を使う行列表示

数式で行列を表現するには LaTeX 標準では **array 環境**を使って次のように書きます（後の節 5.7 ではアメリカ数学会の AMS パッケージを使う別の書き方も紹介します）。

```
1  \begin{array}{書式指定}
2  ...
3  各行を項目を & で区切って並べる。行末は\\
4  ...
5  \end{array}
```

書式指定では各列の要素の寄せ方を l（左寄せ）、c（中央寄せ）、r（右寄せ）で表します。最後の行の行末では強制改行\\は不要です。

たとえば、次の行列表式を見てみましょう。

$$
A = \left[
\begin{array}{cccc}
a_{11} & a_{12} & \ldots & a_{1n} \\
a_{21} & a_{22} & \ldots & a_{2n} \\
\vdots & \vdots & \ddots & \vdots \\
a_{n1} & a_{n2} & \ldots & a_{nn}
\end{array}
\right]
$$

array 環境では、まず目的とする表式が最大何列からなっているかを考え、各列ごとにその列内で左寄せ（l）、中央（c）あるいは右寄せ（r）を決めて列の数だけ書式指定として並べます。

上の行列では 4 列をすべて中央寄せで配置しているので、ここでは書式指定で 4 つの記号 cccc を指定することになり、\begin{array}{cccc}のように書きます。各行の要素の区切り記号は &で、行末は必ず強制改行\\を付けます。各列の要素は a_{ij}、横長ドット $\ldots$（\ldots）、垂直ドット $\vdots$

（\vdots）および下降 $\ddots$（\ddots）で表します。

　また、array 環境を\left[と\right] で挟んで記号 [ ]
のサイズを自動調整します。こうして、上の行列は次のよう
にして表しました。

```
1  \[
2  A=\left[
3   \begin{array}{cccc}
4    a_{11} & a_{12} & \ldots & a_{1n}\\
5    a_{21} & a_{22} & \ldots & a_{2n}\\
6    \vdots & \vdots & \ddots & \vdots\\
7    a_{n1} & a_{n2} & \ldots & a_{nn}\\
8   \end{array}
9    \right]
10 \]
```

5.7　AMS 拡張パッケージ

　ここまで紹介した数式は LaTeX の標準機能を使ってきま
した。アメリカ数学会が開発したパッケージ $\mathcal{AMS}$-LaTeX
（amsmath,amssymb）を使うと、さらに高度な数式を比較的
容易に表現することができます。これ以降はプリアンブル
部に次のように書いてあることを前提にします。

```
1  \usepackage{amsmath,amssymb}
```

　AMS パッケージを使うと一部の数式入力の手間が改善さ
れます。たとえば、行列の表記がたいへん楽になります。

5.7.1 **行列** matrix

括弧なしの **matrix 環境**、(括弧) が付いた **pmatrix 環境**、[括弧] が付いた **bmatrix 環境**、| 行列式 | 用の **vmatrix 環境**が用意されています。

たとえば次のような行列式を簡単に書くことができます。

$$A = \begin{vmatrix} a_{11} & a_{12} & \ldots & a_{1n} \\ a_{21} & a_{22} & \ldots & a_{2n} \\ \vdots & \vdots & \ddots & \vdots \\ a_{n1} & a_{n2} & \ldots & a_{nn} \end{vmatrix}$$

これは次のように書かれており、array 環境を使うよりも直感的で簡素になっています。

```
1  \[
2  A=\begin{vmatrix}
3     a_{11} & a_{12} & \ldots & a_{1n}\\
4     a_{21} & a_{22} & \ldots & a_{2n}\\
5     \vdots & \vdots & \ddots & \vdots\\
6     a_{n1} & a_{n2} & \ldots & a_{nn}
7     \end{vmatrix}
8  \]
```

5.7.2 **二項係数** \binom

二項係数は従来の $_rC_n$ 記法（109 ページ）から $\binom{n}{r}$ 記法に移行しつつありますが、AMS パッケージを使うと\binom{n}{r}と簡潔に書くことができます。

```
1  \[
2  \binom{n}{r} + \binom{n}{r-1} = \binom{n+1}{r}
3  \]
```

この結果は次のように表示されます。

$$\binom{n}{r} + \binom{n}{r-1} = \binom{n+1}{r}$$

さらに、AMS パッケージでは次に示すように数式内で \text{...} を使った叙述文が使えます。和文も安全に収めることができ、しかも文脈に応じた大きさが選ばれます。

$$\tan^{-1}\theta_{\text{仰角}} = \arctan\theta_{\text{仰角}} = \frac{h_{\text{木の高さ}}}{d_{\text{木までの距離}}}$$

これは次のように書いています。

```
1  \[
2  \tan^{-1} \theta_{\text{仰角}}
3    = \arctan \theta_{\text{仰角}}
4    = \frac{h_{\text{木の高さ}}}{d_{\text{木までの距
   離}}}
5  \]
```

5.7.3 連分数 \cfrac

分数式の中に分数式を含む連分数を標準の分数 \frac{b}{a} で書くと、ディスプレイ数式であっても、

$$c_0 + \frac{1}{c_1 + \frac{1}{c_2 + \frac{1}{c_3}}}$$

とバランスが悪くなってしまいます。

この問題は連分数用に配慮した分数コマンド \cfrac を使うだけで解決できます。

```
1  \[
2  \frac{1 + \sqrt{5}}{2} =
```

```
3      1 + \cfrac{1}{1 +
4          \cfrac{1}{1 +
5              \cfrac{1}{1 +
6                  \cfrac{1}{\ddots}}}}
7  \]
```

と書くと次のようにきれいに出力されます。

$$\frac{1+\sqrt{5}}{2} = 1 + \cfrac{1}{1 + \cfrac{1}{1 + \cfrac{1}{1 + \cfrac{1}{\ddots}}}}$$

5.7.4 **場合分け** cases

　数式中に **cases 環境**を使って場合分けする数式表現を書くことができます。cases 環境の書き方は行列と同じようですが、表記した左側に、大きさが行幅によって自動調整された左ブレース { が付きます。最後の行の行末では強制改行\\は不要です。

```
1  \begin{cases}
2  ...
3  場合分け各行を項目を & で区切って並べる。行末は\\
4  ...
5  \end{cases}
```

　cases 環境内では、行列の場合と同じように各行の項目を&で区切ることができます。行末には強制改行\\を記します（最後の行では不要）。cases 環境を使って2行以上の場

122

合分けした数式を書いても環境全体で 1 つの数式として扱われ、数式番号も 1 つだけ割り当てられます。

次は符号関数の例です。

$$\mathrm{sgn}(\sigma) = \begin{cases} 1 & \sigma\,\text{が偶置換の場合} \\ -1 & \sigma\,\text{が奇置換の場合} \end{cases} \tag{3}$$

これは次のように書きました。場合分けの条件を説明する数式を含む和文を\text{...}内に書いています。

```
1  \begin{equation}
2  \label{def_of_signatur}
3  \mathrm{sgn}(\sigma)=
4      \begin{cases}
5      1  & \text{$\sigma$が偶置換の場合}\\
6      -1 & \text{$\sigma$が奇置換の場合}
7      \end{cases}
8  \end{equation}
```

5.8　複数行にわたる数式

ディスプレイ数式で 1 つの数式を出力する equation 環境以外に、AMS パッケージには独立な複数の数式をまとめて表示する **gather 環境**、複数行の数式を列の揃える箇所を指定して表示する **align 環境**、1 つの数式を複数行に分けて出力する **multline 環境** が用意されています（これらは環境名の後に*を付けると数式番号が付かなくなります）。

また、他の数式環境の中で使うことのできる **split 環境**は、数式を揃え位置を指定して分けて表示します。split 環境は独立した環境ではなく他の数式環境の中だけで使えるので

split*環境はありません。multline環境やsplit環境を使って分割した数式はまとめて1つと考えるため、数式番号を付けても1つしか付きません。

5.8.1 複数行の数式をまとめて表示 gather

gather **環境**を使って複数行の数式を強制改行\\を付けて並べると、複数の数式をまとめて表示することができます。gather環境内には空白行を含めてはいけません。最後の行の行末には強制改行\\は付けません（空の数式が表示されてしまいます）。gather環境内ですべての数式番号が不要なときはgather*環境を使います。

```
1  \begin{gather}
2  1行目の数式 \\
3  2行目の数式 \\
4  ...
5  \end{gather}
```

たとえば次のような表式を出力することができます。各行の数式に数式番号が付きます。

$$\sum_{k=1}^{n} k = \frac{1}{2}n(n+1) \tag{4}$$

$$\sum_{k=1}^{n} k^2 = \frac{1}{6}n(n+1)(2n+1) \tag{5}$$

$$\sum_{k=1}^{n} k^3 = \frac{1}{4}n^2(n+1)^2 \tag{6}$$

これは次のように書いています。

```
1  \begin{gather}
```

124

```
2  \sum_{k=1}^n k
3     = \frac{1}{2}n(n+1) \label{power1_sum}\\
4  \sum_{k=1}^n k^2
5     = \frac{1}{6}n(n+1)(2n+1) \label{power2_sum}\\
6  \sum_{k=1}^n k^3
7     = \frac{1}{4}n^2(n+1)^2 \label{power3_sum}
8  \end{gather}
```

　各数式のあとに\label を使ってラベル付けしておくと、本文中の任意の場所で\eqref によって数式番号を参照することができます（節 5.4.1）。

　複数行を記述する環境内でその一部だけに数式番号を付けないようにするにはその数式行末に\notag または\nonumber を追加します。

　また、\tag{数式番号}でユーザ自ら数式番号を指定することができます。

$$\sin(a + b) = \sin a \cos b + \cos a \sin b \tag{7}$$

$$\sin(a - b) = \sin a \cos b - \cos a \sin b \tag{7'}$$

$$\cos(a \pm b) = \cos a \cos b \mp \sin a \sin b \tag{8}$$

　ここでは、以下のように\tag を使ってラベル付けした数式番号を\ref で取得しダッシュ$'$を付けて自前の数式番号を指定しています。

```
1  \begin{gather}
2  \sin (a + b)
3     = \sin a \cos b + \cos a \sin b
4     \label{sin_add}\\
5  \sin (a - b)
6     = \sin a \cos b - \cos a \sin b
7     \tag{\ref{sin_add}$'$}\\
```

```
8   \cos (a \pm b)
9     = \cos a \cos b \mp \sin a \sin b
10    \label{cos_add}
11  \end{gather}
```

5.8.2 **複数式を揃える** align

align環境を使うと、複数行の数式をアンパサンド&を使っ
て揃えて表示することができます。最後の行の行末には強
制改行\\は付けません（空の数式が表示されてしまいます）。
align環境内ですべての数式番号が不要なときはalign*環
境を使います。

```
1   \begin{align}
2   数式A1 &   数式A2 & ...\\
3   数式B1 &   数式B2 & ...\\
4   ...
5   \end{align}
```

align環境は、次のように数式変形を表すために使うこ
とができます。

$$\int_C f(z)dz = \int_C udx - vdy + i \int_C udy + vdx$$
$$= -\iint_B (v_x + u_y)dxdy + i \iint_B (u_x - v_y)dxdy$$
$$= 0 \tag{9}$$

この表式は次のように書いています。

```
1  \begin{align}
2  \label{deriving_Causy_integral_formula}
3  \int_C f(z)dz &= \int_C udx - vdy
4                  + i\int_C udy + vdx \notag\\
5               &= -\iint_B(v_x + u_y)dxdy
6                  + i\iint_B(u_x-v_y)dxdy \notag\\
7               &= 0
8  \end{align}
```

5.8.3 1つの数式を複数行に

1つの数式を複数行にわけて出力するには split 環境や
multline 環境を使います。数式がテキスト幅に収まらない
ような場合に利用します。ただし、split 環境は数式とし
て単独では使えず、他の数式環境の中の一行の数式を分割す
るときに利用できます。

split 環境

split 環境は数式環境内の1つの数式を複数行で出力す
る（複数行にわたる数式を一行の数式のように取り扱う）と
きに使います。align 環境と同様に分割した数式を列で揃
えることができます。split 環境で分割した数式全体に1
つの数式番号を付けることができます。分割した数式それぞ
れに対しても数式を付けたいときは align 環境を使います。

$$P_n^m(x) = \frac{(2n)!}{(n-m)!} \frac{(1-x^2)^{\frac{m}{2}}}{2^n n!}$$
$$\times \left\{ x^{n-m} - \frac{(n-m)(n-m-1)}{2(2n-1)} x^{n-m-2} + \right.$$
$$\left. \frac{(n-m)(n-m-1)(n-m-2)(n-m-3)}{2 \cdot 4 (2n-1)(2n-3)} x^{n-m-4} - \cdots \right\}$$

$$(10)$$

これは次のように書いています。対応する対記号の大きさを自動調整する\left と\right は分割した数式にまたがる場合には使えないので、大きさを手動で指定しています。

```
1  \begin{equation}
2  \label{associated_Legendre_poly}
3  \begin{split}
4  P_n^m(x) &= \frac{(2n)!}{(n-m)!}
5           \frac{(1-x^2)^\frac{m}{2}}{2^nn!}\\
6     & \times \Big\{ x^{n-m}
7        - \frac{(n-m)(n-m-1)}{2(2n-1)}x^{n-m-2}  +\\
8     & \frac{(n-m)(n-m-1)(n-m-2)(n-m-3)}{2\cdot4(2n-1)(2n-3)}  x^{n-m-4}
9        - \dots
10    \Big\}
11 \end{split}
12 \end{equation}
```

multline 環境

一方、multline 環境は 1 行を複数行にわけて出力し、split 環境と同様に分割した数式全体に 1 つの数式番号を割り当てます。align 環境や split 環境とは違って、分割した数式を指定した列で揃えることはできません。

次は 1 つの式を等号右辺の途中、第一項で改行して 2 行にして出力しています。

$$\left(\boldsymbol{E}\operatorname{div}\boldsymbol{E}-\boldsymbol{E}\times\operatorname{rot}\boldsymbol{E}\right)_x = E_x\left(\frac{\partial E_x}{\partial x}+\frac{\partial E_y}{\partial y}+\frac{\partial E_z}{\partial z}\right)$$

$$-E_y\left(\frac{\partial E_y}{\partial x}-\frac{\partial E_x}{\partial y}\right)+E_z\left(\frac{\partial E_x}{\partial z}-\frac{\partial E_z}{\partial x}\right) \quad (11)$$

この式は次のように書いています。数式記号をボールド体で表示するために\boldsymbol を使い、ベクトル解析で使う発散 div や回転 rot の記号を\mathrm を使って立体で表記しています。

```
1  \begin{multline}
2  \label{using_Faraday's_law}
3  (\boldsymbol{E}\,\mathrm{div}\,\boldsymbol{E} -
4    \boldsymbol{E}
5      \times \mathrm{rot}\,\boldsymbol{E})_x =
6   E_x\left(\frac{\partial E_x}{\partial x}+
7          \frac{\partial E_y}{\partial y}+
8          \frac{\partial E_z}{\partial z}\right)\\
9  -E_y\left(\frac{\partial E_y}{\partial x} -
10          \frac{\partial E_x}{\partial y}\right) +
11  E_z\left(\frac{\partial E_x}{\partial z} -
12          \frac{\partial E_z}{\partial x}\right)
13  \end{multline}
```

5.9　この章のまとめ

LaTeX 文書に数式を書くことができるようになりました。基本的なことは紹介したので、表してみたい数式に取り組んでさまざまな経験を積んでください。AMS パッケージを使うと、一層効率的に高度な数式が自在に書けるようになります。

- LaTeX での数式表現には、\(...\) または$...$で書く行内数式と、\[...\] または\begin{equation}...\end{equation}で書くディスプレイ数式の2つがある。

- 添字は下付きはアンダースコア (_)、上付きはキャレット (^) で指定し、ネスト（入れ子に）することができる。

- 分数は\frac{分子}{分母}、添字を取る総和記号などは\sum_{開始}^{終了}と書く。

- equation 環境を使うと数式番号が連番で付く。\label{ラベル名}でラベル指定しておくと、文中任意の場所から\eqref{ラベル名}で数式番号を取得できる。

- 根号記号\sqrt{..}は '箱' の大きさに応じてサイズが変わる。括弧記号や縦棒記号は\big,\Big,\bigg および\Bigg などでサイズ変更できる。\left と\right を組にしてサイズ調整可能な記号を自動調整できる。

- array 環境で配列表示を使った行列を書くことができる。

- アメリカ数学会の AMS パッケージを使うにはプリアンブル部に\usepackage{amsmath,amssymb}を置く。\text{...}を使って数式内にサイズが自動調整された叙述文が使える。

- \begin{数式環境*}...\end{数式環境*}と*を付けるとすべての数式番号が抑制され出力されない。
- AMS パッケージの cases 環境を使うと場合分けした数式表記ができる。
- 複数行を表記できる gather 環境、align 環境では、各行ごとに数式番号が出力されるが、数式末で\notag を記すと対応する数式番号は出力されない。split 環境や multline 環境を使うと 1 つの数式を複数行にわけて出力し、全体に 1 つの数式番号が付く。

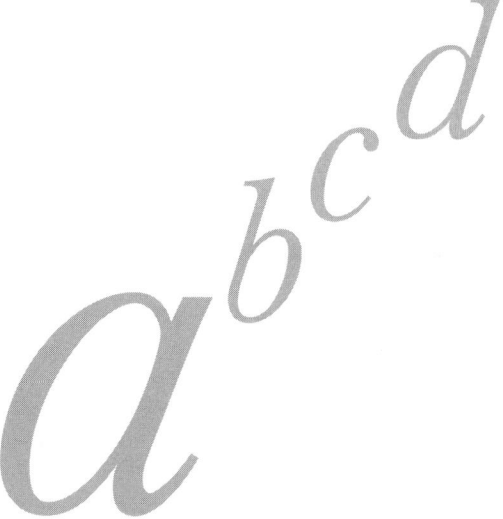

第 **6** 章

便利な機能を使いこなす

第 5 章では数式を表す際にアメリカ数学会で提供している
るパッケージを利用することで数式の表記が便利になること
を紹介しました。

　LaTeX の標準機能を拡張するパッケージは数多く提供され
ており、目的に応じて自由に使い分けることができます。開
発されたパッケージの多くは CTAN（Comprehensive TEX
Archive Network）https://www.ctan.org に集められ、
その一部が LaTeX の配布キットに収録されて利用できるよ
うになっています。

　ここでは、LaTeX で組版して得られる PDF ファイルに文
書内やインターネットリソースへのリンクを埋め込むパッ
ケージ hyperref、既に画像の張り込みで利用したパッケー
ジ graphicx の活用、LaTeXのようにルビを振ったり、縦書
きにしたりするためのパッケージを紹介します。

　また、第 9 章ではパッケージ beamer を使ったスライド
の作成を、第 10 章ではパッケージ tikz を使った高機能な
作画方法を紹介します。

6.1　ハイパーリンク

　パッケージ hyperref を使うと、PDF ファイルとして得
られる LaTeX 文書にリンクを埋め込んで、文書内の参照箇
所にジャンプしたり、インターネットコンテンツにアクセス
する Web ブラウザを開くことができます。

　PDF のしおり（bookmarks）機能の文字化け防止のため
に、プリアンブル部で hyperref パッケージを読み込む際

には続けてパッケージ pxjahyper も読み込みます。

```
1  \usepackage[dvipdfmx]{hyperref}
2  \usepackage{pxjahyper}
```

hyperref に渡すオプション dvipdfmx は、節 3.6 の画像を読み込むパッケージ graphicx と同じように、エンジン (u)platex でコンパイルしてドライバ dvipdfmx を使って PDF ファイルを生成するためのものです。

lualatex/xelatex エンジンを利用する場合には、次のように読み込みます。

```
1  \usepackage[unicode]{hyperref}
```

こうして hyperef を読み込んでおくだけで、LaTeX から生成される PDF ファイルには自動的に次のようなリンク機能が備わります。

- \tableofcontents によって書き出された目次から該当する見出しへのリンク。
- 見出し番号や図表番号の参照 \ref{name}、ページ参照 \pageref{name}、式番号参照 \eqref{name} あるいは文献番号参照 \cite{name} で表示される番号から該当箇所へのリンク。

PDF 閲覧時に目次や参照先番号にジャンプできるようになるだけでなく、しおり機能を使って見出しを選んで読めるので長大な文書ではたいへん重宝します。

6.1.1　パッケージ hyperref の設定変更

hyperref の読み込み直後にしおり設定やリンクの文字

色を次のようにプリアンブル部に指定しておくことができます。

```
1 \usepackage[dvipdfmx]{hyperref}
2 \usepackage{pxjahyper}
3 \hypersetup{% 設定のリスト
4 bookmarksnumbered=true, %しおりに見出し番号をつける
5 bookmarksdepth=4, %しおりの深さ
6 colorlinks=true, %リンク文字をカラー化
7 linkcolor=blue, %文書内部への通常リンク文字の色
8 filecolor=red, %ローカルファイルへのリンク文字の色
9 }
```

hyperref で指定できるオプションの一部を表 6.1 に掲げます。使用可能な文字の色指定は多くはなく、black, white, red, green, blue, cyan, magenta, yellow です。

表 6.1 パッケージ hyperref の設定オプションの一部

オプション名	デフォルト	意味・機能
bookmarks	true	しおり (bookmark) を作成する
bookmarksnumbered	false	しおりの見出しに番号を付けない
bookmarksdepth	tocdepth	\tableofcontens があるときのしおりの深さ
colorlinks	false	true にしてリンク文字の色を設定
linkcolor	red	文書内部への通常リンク文字の色
filecolor	magenta	ローカルファイルへのリンク文字の色
urlcolor	cyan	ハイパーリンク文字の色
citecolor	green	文献番号の文字の色

6.1.2　hyperref **の使い方**

hyperref を使うと LaTeX 文書内の参照番号に自動的に
リンクが張られること以外に、HTML のように文書内外へ
のリンクを張る機能があります。hyperref でリンクを張る
ための主なコマンドを表 6.2 に掲げました。

表 6.2　リンクを張るためのコマンド

書き方	意味
\url{URL}	URL を表記してそこにリンク
\href{URL}{テキスト}	テキストから URL にリンク
\hypertarget{名前}{テキスト}	テキストに名前ラベルをマーク
\hyperlink{名前}{テキスト}	文書内のテキストから名前位置にジャンプ

\href{URL}{テキスト}において、アンカー文字列となる
テキストに LaTeX の特殊文字（アンパサンド（&）、アンダー
スコア（_）、チルド（~）など）が含まれる場合には対策が
必要です（節 3.5）が、URL にはどのような文字が登場し
ても特に対策は必要ありません。

インターネットコンテンツへのアクセスを表す URL には
LaTeX の特殊文字が含まれることがありますが、\url{URL}
を使うと長い URL でも途中で改行されてうまく出力してく
れます。ただし、URL を表示する際には節 7.2.2 のような
配慮が必要です。

パッケージ graphicx では\includegraphics{URL}の
ようにインターネット上の画像を取り込むことはできませ

ん。画像ファイルとしてパソコンにダウンロードして読み込む必要があります。このようなときには、LaTeX 文書に画像を埋め込むようなことはせず、hyperref を使って\href{画像の URL} {インターネットにある画像}という形でインターネット上の画像を参照するような文章を検討します。

6.2　画像に関するテクニック

文書作成を進めていくと画像やテキストのレイアウトが気になってきます。ここでは視覚効果が大きいパッケージの中からほんの僅かだけを紹介します。

6.2.1　画像の回り込み

画像とテキストを混在させたワードプロセッサなどのアプリケーションや Web ページなどでは、画像の周囲にテキストを回り込ませることができます。LaTeX でも同様にwrapfig パッケージを使うことにより回り込みを表現できます。画像では **wrapfigure 環境**、表組みでは **wraptable環境**を使います。

```
1  \usepackage{wrapfig}
```

画像に回り込ませるときには次のような書式で記述します。位置指定では回り込みさせる画像の場所を l（左）または r（右）、i（見開き内側）や o（見開き外側）で指定します。幅は図表を張り込むために確保される幅で、周囲のテキストとの間には\columnsep（段組みの段間）の空白が入ります。

```
1  \begin{wrapfigure}{位置指定}{幅}
2  画像の読み込み
3  \end{wrapfigure}
```

　回り込みさせるときには、幅と張り込む図の幅とを全角
文字幅（単位 zw）の整数倍で一致させると都合がよいよう
です。

　　　　　左図は有名な tiger.eps（PostScript
言語のインタープリタ Ghostscript
のサンプル画像）を全角幅 8zw で表
示して左寄せ（l）して、テキストを右
側に回し込んでいます。この表示を
得るために以下のように書きました。

```
1  \begin{wrapfigure}{l}{8zw}
2  \includegraphics[width=8zw]{fig/tiger.eps}
3  \end{wrapfigure}
4  左図は有名な・・・・・・・・
```

　画像が垂直方向に 1 行分下がってしまうのが気になる場
合は、\vspace{-\intextsep}を使います。

　今度は tiger.eps を右側に表示し
て、さらに図番号とキャプションを
付けています。図の垂直方向の位置
にも注目してください。

　この表示を得るには次のように
書いています。wrapfigure 環境
では figure 環境は使えませんが

図 6.1　タイガー

`\caption{タイガー}`と書いて図番
号とキャプションを表示できます。

```
1  \begin{wrapfigure}{r}{8zw}
2  \vspace{-\intextsep}
3  \includegraphics[width=8zw]{fig/tiger.eps}
4  \caption{タイガー}
5  \end{wrapfigure}
```

　悩ましいことにパッケージ wrapfig は回し込み位置で
ページが変わる場合や、箇条書き内ではうまく働きません。

6.2.2　文字列の変形

　画像に関するさまざまな機能を提供するパッケージ
graphicx には、画像の張り込み`\includegraphics`だけで
なく、テキスト文字列についても興味深い変形を可能にするコ
マンドがあります。ここでは、`\reflectbox`、`\rotatebox`、
`\scalebox` を紹介します。

鏡映 `\reflectbox`
　指定した文字列を鏡映するにはコマンド`\reflectbox`を
使います。

```
1  \reflectbox{文字列}
```

'鏡映すると' に対して'ゝるす袂競'のように、文字列は逆順
になって各文字も水平方向に反転して並びます。

回転 `\rotatebox`
　指定した文字列を回転するにはコマンド`\rotatebox` を

使います。

```
1  \rotatebox[origin=位置]{角度}{文字列}
```

　角度は度で指定し、オプション origin=で回転の中心を
l（左端）、c（中央）および r（右端）から選ぶことができ、
それぞれ、

となります。オプション省略時の回転中心は l（左端）にな
ります。

倍率 \scalebox

　指定した文字列の倍率をコマンド\scalebox で変更でき
ます。横倍率、縦倍率はゼロでない実数で指定します。縦倍
率を省略したときは、縦方向にも横倍率が適用され同じ縮尺
で拡大・縮小されます。

```
1  \scalebox{横倍率}[縦倍率]{文字列}
```

　\scalebox{2}{2 倍}は 2 倍、\scalebox{2}[1]{
倍角}は**倍角**となります。

　倍率には負の値を取ることができます。対象とする文字
列を LaTeX として、次のような効果を観察してみてくださ
い。ここでは基線の参考のためにアンダースコア_を使いま
した。

```
1  \LaTeX{}
```

```
2  \_  \scalebox{1}[-1]{\LaTeX}
3  \_  \scalebox{-1}[-1]{\LaTeX}
4  \_  \scalebox{-1}{\LaTeX}
5  \_  \reflectbox{\LaTeX}
6  \_  \scalebox{-1}[1]{\LaTeX}
```

この結果は、

$$\text{L\kern-.36em\raise.3ex\hbox{A}\kern-.15em T\kern-.1667em\lower.7ex\hbox{E}\kern-.125emX}$$

となります。

6.2.3 透かしを入れる

ページの背景に配置された淡いテキストや背景を**透かし**（water mark）と言います。作成している文書がまだ草稿（draft）だと示したり、機密扱い（confidential）であることを示したい場合に使われます。

透かしを入れるパッケージはいくつかありますが、ここではパッケージ draftwatermark を紹介します。使い方は簡単でプリアンブル部で次のように書くだけです。

```
1  \usepackage{draftwatermark}
2  %\usepackage[nostamp]{draftwatermark}
3  %\usepackage[firstpage]{draftwatermark}
4  \SetWatermarkText{部外秘}
5  %\SetWatermarkColor[rgb]{1,0,0}
6  \SetWatermarkColor[gray]{0.6}
7  \SetWatermarkFontSize{3cm}
8  %\SetWatermarkScale{5}
9  %\SetWatermarkAngle{60}
```

表示される透かし文字のデフォルトは DRAFT ですが、\SetWatermarkText{...}で任意の文字列を透かしにでき

ます。この例では '部外秘' にしています。

　デフォルトでは透かし文字が全ページに出力されますが、オプションで nostamp を指定すると透かしは抑制され出力されません。オプションで firstpage とすると最初のページだけに透かしが出力されます。

　透かしの濃さはデフォルトでは灰色（gray 60%）ですが \SetWatermarkColor で RGB カラー指定などもできます。

　透かし文字の大きさの指定 \SetWatermarkFontSize や拡大率の指定 \SetWatermarkScale も可能です、文字列の回転角度も \SetWatermarkAngle デフォルト値 45° から変更可能です。

6.3　ルビと圏点

　和文文書では、しばしば漢字に**振り仮名**（ルビ）を添えて幸福（ハッピー）としたり、**圏点**を付けて強調するという習慣があります。LATEX でルビや圏点を利用するには okumacro パッケージまたは pxrubrica パッケージを使います。

```
1  \usepackage{okumacro}
2  %または
3  \usepackage{pxrubrica}
```

　okumacro はルビや圏点以外の機能も備えていますが (u)platex でしか使えません。一方、pxrubrica はルビや圏点に特化した高機能のパッケージで (u)platex/lualatex/xelatex でも使えますが、親文字（ルビを付ける文字）へのコマンドが和文用の \ruby と欧文用の \aruby と別になって

います。

　okumacro はパッケージ ascmac などと同時に使うとパッケージの読み込みに失敗することが知られており、ルビと圏点の利用に関する限り、okumacro をプリアンブル部の先頭側で読み込むなどの対策が必要になります[*1]。

　ここではルビを okumacro を使って表現する方法を説明します。親文字に対してルビを振るには次のように書きます。

```
1  \ruby{親文字}{振り仮名}
```

　親文字は漢字でなくて構いません。たとえばケイタイ（スマホ）やMississippi（ミシシッピー）などとできます。振り仮名も学校（school）とかガンマ（γ）線（せん）などのように使えます。

　圏点は親文字の上に点を打って強調するために用います。使い方は、

```
1  \kenten{圏点}
```

と文字列を囲みます。

　アクセント記号のようにピリオド (.) を使って\.強\.調と書く方法（強調と表示されます）もありますが、\kentenを使ったほうが点が自立ちます。欧文文字列に使うとȦBĊ、LaTeX に使うとLȦTĖX となります。

[*1] このような問題を避けるには、パッケージ pxrubrica を使うか、または、okumacro を書き直した BXptool パッケージ https://github.com/zr-tex8r/BXptool にある bxokumacro パッケージを使います。

6.4　縦書き

LaTeX でルビが振れるとなると縦書きがしたくなります。第2章で紹介した Cloud LaTeX の テンプレート には、「日本語新ドキュメントクラス」を使って、プリアンブル部で縦書き用の書式やパッケージ pxrubrica を利用してルビが使えるように設定された「日本語縦書き」が用意されています。

その設定内容を理解するには高度な LaTeX の知識が必要ですが、とりあえず縦書きの組版をしてみるには \begin{document}以下を通常の LaTeX の書き方に従って記述してコンパイルしてみるとよいでしょう。

以下では、自前の環境で縦書き文書を組版するための方法について説明します。

6.4.1　縦書きの文書

日本語文書をすべて縦書きで作成するのであれば、エンジン (u)platex/lualatex 用に縦横両用に開発されている文書クラス jlreq を用いるのがお勧めです [*2]。

文書クラス jlreq では、パッケージの読み込みを含めて標準的な文書クラスと同様に書くことができ、さらに追加/拡張された命令を使うことができます。次のように先頭行の\documentclass{}で jlreq と書き、縦書きにするために tate をオプションに渡しています。

[*2] 文書クラス jlreq は W3C 日本語組版処理の要件 (2012) http://www.w3.org/TR/2012/NOTE-jlreq-20120403/ja/ の実装例です。最新状況や使い方は https://github.com/abenori/jlreq で確認できます。

```
1  \documentclass[paper=b6,tate]{jlreq}
2  プリアンブル部
3  \usepackage{pxrubrica}% ルビ用
4  ...
5  \begin{document}
6  ...
7  本文
8  ...
9  \end{document}
```

　デフォルトは論文スタイルですが、report や book 相当のスタイルにするにはそれぞれ report や book のクラスをオプションに指定します。また、用紙サイズは paper=紙サイズ名または{横寸法, 縦寸法}で指定できます（デフォルトは a4 サイズ）。用紙サイズ名は a0 から a10、b0 から b10 および c2 から c8 を選ぶことができます。用紙サイズが豊富に揃っているので横書きまたは縦書きで思い通りの文書が作成できます。

　文書クラス jlreq の tate オプションによって縦書き設定されているとき、verbatim 環境や \verb コマンド内の和文は正立し、\tatechuyoko{...}で縦中横を表示します。数式はインラインモードでもディスプレイモードでも水平に組まれた数式を 90° 反時計回りに回転したように出力されます。

　図 6.2 は、次のようにして文書クラス jlreq を使って縦組版した 1 ページ目です。クラスオプションには縦書き指定 tate を渡し、用紙サイズは直接に横 13cm、縦 19.5cm と指定しました。また、文中でルビを振るためにパッケージ pxrubrica を読み込んでいます。

1

セロ弾きのゴーシュ

宮沢賢治

一九三四年

ゴーシュは町の活動写真館でセロを弾く係りでした。けれどもあんまり上手でないという評判でした。上手でないどころではなく実は仲間の楽手のなかではいちばん下手でしたから、いつでも楽長にいじめられるのでした。

ひるすぎみんなは楽屋に円くならんで今度の町の音楽会へ出す第六交響曲の練習をしていました。

トランペットは一生けん命歌っています。

ヴァイオリンも二いろ風のように鳴っています。

クラリネットもそれに手伝っています。

ゴーシュも口をりんと結んで眼を皿のようにして楽譜を見つめながらもう一心に弾いています。

にわかにぱたっと楽長が両手を鳴らしました。みんなぴたりと曲をやめてしんとしました。楽長がどなりました。

「セロがおくれた。トォテテ テテテイ、ここからやり直し。はいっ。」

みんなは今の所の少し前の所からやり直しました。ゴーシュは顔をまっ赤にして額に汗を出しながらやっといまいわれたところを通りました。ほっと安心しながら、つづけて弾いていますと楽長がまた手をぱっと拍ちました。

「セロっ。糸が合わない。困るなあ、ぼくはきみにドレミファを教えてまでいるひまはないんだがなあ。」

みんなは気の毒そうにしてわざとじぶんの譜をのぞき込んだりじぶんの楽器をはじいて見たりしています。ゴー

図 6.2 日本語縦書きクラス jlreq を使って書いた『セロ弾きのゴーシュ』の冒頭。パッケージ pxrubrica を使ってルビを振っている。

```
1  \documentclass[12pt,{13cm,19.5cm},tate]{jlreq}
2  \usepackage{pxrubrica}
3
4  \title{セロ弾きのゴーシュ}
5  \author{宮沢賢治}
6  \date{一九三四年}
7
8  \begin{document}
9  \maketitle
10
11 ゴーシュは町の活動写真館でセロを弾く係りでした。
12 けれどもあんまり上手でないという評判でした。上手でないど
   ころではなく実は仲間の楽手のなかではいちばん下手でしたか
   ら、いつでも楽長にいじめられるのでした。
13 ...
14 ...
15 \end{document}
```

6.4.2 部分的な縦書き

　主たる文書が横書きで、一部を縦書きで書きたいことがあります。(u)platex の plext パッケージ （あるいは lualatex の lltjext ）は横書き文書内の「部分的な縦書き」機能を提供します。

「部分的な縦書き」であれば節 6.4.1 のような特別な文書クラスは不要です。(u)platex または lualatex で現在使っている横書き文書クラスのままで構いません。

　plext を使うにはプリアンブル部で次のように書きます。

```
1  \usepackage{plext}
```

　例として文中の一部を縦書きにしてみます。

縦
書
ここできを表示する

　上の例では\pbox というコマンドに組方向を縦に指定する<t>を付けて、

1　ここで\pbox<t>{縦書き}を表示する

と書いています。

　plext パッケージを使うと、「組方向」が指定できる命令・環境で、次のどれかの組方向を与えるとその内部の組方向が変わります。先の\pbox コマンド以外に、組方向が指定可能な環境や命令には minipage 環境、picture 環境、array 環境、 tabular 環境や\parbox コマンドがあります。

    <t>　　横組みの中の縦組み
    <y>　　縦組みの中の横組み
    <z>　　縦書きの中の横書きを時計回りに回転

　手っ取り早く文書内に部分的に縦書き文章を書くには\parbox を次の書式で使います。

1　\parbox<組方向>[垂直位置]{幅}{文章}

　ここで、幅は和文文字単位 zw の整数倍で指定すると都合がよく、組方向に沿った文字数と理解します。縦組みでの幅は縦に組まれる文字数、横組みでの幅は横に組まれる文字数です。垂直位置は組まれた箱位置でトップ t、センター c、ボトム b などです。次の例を見てみましょう。

1995年にアンドリュー・ワイルズによって完全に証明されたフェルマー予想とは、3以上の整数nについて

$$x^n + y^n = z^n$$

となる自然数の組 (x, y, z) は存在しないという主張である。

「あ、鳴つた。」と言つて、父はペンを置いて立ち上る。警報くらゐでは立ち上らぬのだが、高射砲が鳴り出すと、仕事をやめて、五歳の女の子に防空頭巾をかぶせ、これを抱きかかへて防空壕にはひる。既に、母は二歳の男の子を背負つて壕の奥にうずくまつてゐる。「近いやうだね。」「ええ。どうも、この壕は窮屈で。」

太宰治『お伽草紙』

これは次のように書いています。

```
1   \parbox<t>[t]{17zw}{
2   「あ、鳴つた。」
3   と言つて、父はペンを置いて立ち上る。警報くらゐでは
4   立ち上らぬのだが、
5   高射砲が鳴り出すと、仕事をやめて、五歳の女の子に
6   防空頭巾をかぶせ、これを抱きかかへて防空壕にはひる。
7   既に、母は二歳の男の子を背負つて壕の奥にうずくまつてゐる
    。
8   「近いやうだね。」
9   「ええ。どうも、この壕は窮屈で。」
10
11  \hfill 太宰治『お伽草紙』
12  }
13  \qquad
14  \parbox<t>[t]{20zw}{
15  1995年にアンドリュー・ワイルズによって完全に証明された
16  フェルマー予想とは、\pbox<y>{3}以上の
17  整数\pbox<y>{$n$}について\\
18  \parbox<z>{10zw}{
```

```
19  \[
20  x^n + y^ n = z^n
21  \]
22  }\\
23  となる自然数の組$(x,y,z)$は存在しないという主張である。
24  }
```

　　この例では、縦組み指定した\parbox を間隔\qquad を
空けて 2 つ並べています。各縦組みブロックが横組みとし
て左から順に出力されています。また、\pbox を使って文
字の縦中横を出力しています。

第 **7** 章

参考文献と索引

a^{bcd}

節 2.3.5「相互参照」で紹介した、\label{ラベル名}に
よるラベル付けを\ref（数式では\eqref）や\pageref を
使って相互参照するという考え方は、文中での文献番号の参
照や巻末の索引作成にも使われています。

　節 7.1 では文書作成のための根拠資料や参考情報をわかり
やすく参考文献リストとして記載して、それらをいかに利用
したかを文中で明示する方法を紹介します。節 7.3 では文中
の用語を索引語として登録しておき、索引語がどのページに
登場したかを索引として掲げる方法を紹介します。

　文書作成では、途中に構成の組み替えや追加・削除、図表
や参考情報の差し替え・挿入・削除が頻繁に発生します。ま
た、組版してようやく索引語の登場ページ位置が定まる索引
作成は本来ならば多くの時間をかけて注意深い作業を行わね
ばなりません。LaTeX には自動的に正しい索引語のページ
番号を取得し、美しく索引を組版する仕組みが提供されてい
ます。

7.1　参考文献

　参考文献リストは通常、文書の末尾に掲載します。
\footnote{}を使って、各ページの脚注として参考情報を
掲載する場合もありますが、参考文献リストとしてまとめて
掲載するやり方が一般的です。

　実際の文献情報の記載や引用方法は、作成する文書の用途
にあわせて決めます。論文などでは雑誌ごとに求められる
形式が違っていますから、投稿規定などを読んで確認してみ

てください。

　参考文献情報として、次のような書誌要素が必要です。

- 著者/編者
- 書名/表題
- 誌名/出版社
- 出版年、巻/号/ページ

　参考文献情報の書き方は雑誌や出版社ごとにさまざまな書式がありますが、詳しく紹介している方が親切で好ましいでしょう。以下の2例は同じ参考文献を表しています。

> A. Einstein, B. Podolsky and N. Rosen, *Can Qquantum-Mechanical Description of Physical Reality be Considered Complete?*, Physical Review, **47**(1935), 777-780.

> A. Einstein, B. Podolsky and N. Rosen, *Phys. Rev.* **47**, 777(1935).

　1番目の例では、著者、表題、誌名、号数（出版年）、ページの順に記載されていきます。2番目の例では表題は表示せず、誌名も省略された形で書かれています。

　また、インターネット情報を参考文献として掲載する機会も多くなりました。この場合は次のような情報が書誌要素となります。

- 著者/編者
- 書名/表題
- URL

　以下に、具体的な例を示します。

G. Perelman, *The entropy formula for the Ricci flow and its geometric applications*, https://arxiv.org/abs/math/0211159.

　文書の末尾に参考文献リストを掲載する場合には、それぞれの文献に文献番号を割り振り、本文中では「文献 [2] によれば〜」のようにその番号で参照することが一般的です。例として、本書の参考文献の一部を LaTeX の典型的なレイアウトで表示したものを図 7.1 に示します。

参考文献

[1] 奥村晴彦・黒木裕介『[改訂第 7 版]LaTeX 2ε—美文書作成入門』、技術評論社（2017 年）

[2] 吉永徹美『LaTeX 2ε 辞典—用法・用例逆引きリファレンス』、翔泳社（2009 年）

[3] 坂東慶太『インストールいらずの LaTeX 入門』、東京図書（2019 年）

[4] TeX Wiki, https://texwiki.texjp.org

[5] F. Mittelbach, M. Goossens, et al., 'The LaTeX Companion (2nd Edition)', Addison-Wesley(2004)

[6] アスキー編集部監訳『The LaTeX コンパニオン』（第 1 版）, アスキー（1998 年）

図 7.1 参考文献の出力例

7.1.1 参考文献リストの作成

　参考文献リストを文末に作成するには、ファイルの最後に

thebibliography 環境を置いて次のように書きます。

オプションを付けずに\bibitem{参照キー}を追加していくと、登場順に [1],[2],... のように数字が割り当てられます。

```
1  \begin{thebibliography}{字下げ幅の目安}
2  \bibitem[オプション]{参照キー} 参考情報の書誌要素.
3  ...
4  \end{thebibliography}
```

参照キーは、相互参照のラベル名と同じく、LaTeX の特殊文字を含まない文字列を使うことができますが、空白やタブおよびコンマ , を使わないのが無難です。大小文字は区別されますが紛らわしいので、ひと目で区別できるように選びます。

字下げ幅の目安は、文献番号から始まる文献情報の字下げ幅を指定します。参考文献の数が 10 より少ない、つまり文献番号が 1 桁（1 文字分）になるときは{9}や{7}、文献番号が 2 桁（2 文字分）ならば{99}や{12}など実際の文字列を書いておきます。後で述べるように文献番号を数字から漢字の文字列に変更した場合は、'漢字幅' の 1 文字分 1zw、2 文字分 2zw のようにします。

参考文献の書誌要素には、必要な書誌情報を記述します。次の例は、本節で最初に示したアインシュタインらの論文および、図 7.1 の最初の 2 冊の書籍の書誌情報です。この例のように、表題を\textit でイタリック体にしたり、巻数を\textbf で太字にしたり本文中と同じように工夫して書きます。LaTeX 2_ε のような特殊な表記・記号も同様に指定します。

```
1  \begin{thebibliography}{9}
```

```
2  \bibitem{epr} A.~Einstein, B.~Podolsky and N.~Rose
n.
3     \textit{Can Qquantum-Mechanical Description
4     of Physical Reality be Considered Complete?},
5     Physical Review,\textbf{47}(1935), 777-780.
6  \bibitem{bibun} 奥村晴彦・黒木裕介
7     『[改訂第７版]\LaTeXe{}---美文書作成入門』，
8     技術評論社（2017年）
9  \bibitem{latexdic} 吉永徹美
10    『\LaTeXe{}辞典---用法・用例逆引きリファレンス』，
11    翔泳社（2009年）
12    ・・・
13 \end{thebibliography}
```

7.1.2 　文献書誌データベース BIBTEX

　本書では解説していませんが、書誌文献情報を指定された形式でファイルに記録してデータベース化し、LATEX と組み合わせて文書作成時に引用すべき文献情報をそのデータベースから取り出して参考文献リストの作成を自動化するBIBTEX（および日本語に対応した pBIBTEX）というツールがあります。

　日頃から文献情報に接した際に指定された形式で BIBTEX に登録しておくと、論文作成時に改めて文献情報を確認したり探し回ったりする必要がなくなります。

　BIBTEX ではデータとしての文献書誌情報と LATEX 側での文献情報の表記方法とを分離できるために、文献書誌データの登録さえ厭わなければ、有用なデータベースを作成できます。興味のある方は参考文献［1］の「文献の参照と文献データベース」などを参照してみてください。

近年では、BIBTEX に対応した文献管理ソフトウエアも多く提供されています。また、いちいち手動で BIBTEX に必要な項目を入力せずとも、オンラインで閲覧できる文献情報にはその BIBTEX 情報も合わせて提供される機会が多くなりました。さらに、文献情報の管理や研究ネットワークなど研究活動を支援する Mendeley（https://www.mendeley.com）のような文献管理・学術ソーシャルネットワーキングツールの利用も広まっています。

7.1.3 参考文献の引用

\bibitem{参照キー}に割り当てられた文献番号を文書の任意の場所で、たとえば [3] のように参照するには、その箇所で

```
1  \cite{参照キー}
```

と書きます。参照キーをコンマ , で区切って並べて\cite{キー 1，キー 2，キー 3}とすると、たとえば [2,5,7] のように一度に複数の文献情報をコンマ区切りで表すことができます。[ ] 内の文献情報をどう配置するかはそれぞれの流儀があります。

文献引用も文の要素なので、文献情報は次のように句読点の内側に書きます。

```
1  Einsteinは 1905年に物理学の基礎を揺るがす 5編の論文
2  \cite{einstein_1905_03}\cite{einstein_1905_05}
3  \cite{einstein_1905_06}\cite{einstein_1905_09}
4  \cite{einstein_1905_12}
5  を発表し、物理学にとって奇跡の年と呼ばれている。
```

組版すると、次のようになります。

> Einstein は 1905 年に物理学の基礎を揺るがす 5 編の論文
> [3][4][5][6][7] を発表し、物理学にとって奇跡の年と呼ばれ
> ている。

\bibitem のオプションを使って、文献番号を数字から文字列に変更することができます。たとえば、\bibitem[夏目 1905]{wagahai}、\bibitem[夏目 1906]{bocchan}と指定すると、文献番号に代わって [夏目 1905]、[夏目 1906] のようにして文献情報を引用できます。

文献番号だけでなくページ数や章・節などを併せて引用したい場合は次のようにコメントを指定します。

```
1  \cite[コメント]{参照キー}
```

たとえば\cite[30 ページ]{wagahai}とすると [夏目 1905, 30 ページ] のように組版されます。同一の参考情報の異なる箇所を引用する場合、この機能を活用して的確に引用情報を提供することができます。

7.2 参考文献にインターネット情報を掲載する

インターネット情報を参考文献リストに掲載する場合には、読んで（印刷して）理解できるような情報と、パソコンやタブレットからアクセスできる手段の 2 つを記載することが求められます。

7.2.1 URL 表記

インターネット情報へのアクセスはその在処と手段を示

す URL で表されます（実際のアクセスに際しては認証など
が要求されるかもしれません）。

　Web ブラウザでアクセスする場合、そのアドレスバーに
閲覧しているインターネット情報の URL が表示されます。
これをコピーしてテキストエディタ（またはワードプロセッ
サ）にペーストしてみると、URL に日本語・中国語など英
数字（ASCII 文字）以外の文字列が含まれている場合には
厄介なことになります。

　たとえば、`https://ja.wikipedia.org/wiki/`夏目漱
石 と表記される URL 情報にアクセスしているとします。
そのとき Web ブラウザのアドレスバーから、その URL を
テキストエディタ（またはワードプロセッサ）にコピーして
見てみると

```
https://ja.wikipedia.org/wiki/%E5%A4%8F%E7%9B%AE%
E6%BC%B1%E7%9F%B3
```

のように多数の%記号が入り混じった文字列として表示され
ることがあります。結論を言うと、これが目的の情報にアク
セスするための正しい URL です。

　実際、この文字列をコピーし直して再度 Web ブラウザに
張り込むと元ページにアクセスすることができ、有効な URL
であることが確認できます。

　一方、コピーした URL をそのまま ʻ読める文字列ʼ としてテ
キストエディタに張り込める Web ブラウザも存在していま
す。しかしながら、パッケージ hyperref（節 6.1）を使って
`\url{https://ja.wikipedia.org/wiki/`夏目漱石`}` と
URL を指定し組版して得られる PDF ファイルからは目的
のページにジャンプできません。つまり、その Web ブラウ

ザは私達が理解できるように '誤った URL' を表示して読めるように見せてくれていたのです。

　Web ブラウザに表示される読める URL を '復号化された URL'、%記号が入り混じった URL を 'URL 符号化された文字列' と呼ぶことにします。この 2 つの URL の違いについては、少し専門的になりますが節 7.2.2 で解説しています。

7.2.2　URL 符号化

　URL（または更に広く URI）の表記において使用できない文字を符号化して表記する工夫を **URL 符号化**といい、その方式の特徴からパーセント符号化とも呼んでいます。その方法はインターネット技術の標準化文書 RFC3986 節 2 で定義されています。

　URL 符号化は採用している文字コードにかかわらず符号化が可能です（大抵の Web ブラウザは利用している文字コードを自動判定します）。

　ローマ字、数字、: ; = + - / ? # [ ] @ ! $ ( ) * とピリオド .、アンダースコア _ およびチルダ ~ 以外を使用できない文字とし、URL 文字列をなすバイト（オクテット）配列との対応において、符号化されたオクテットをパーセント記号%とそのオクテットの数値を表している 2 桁の 16 進数 X から成る三重語%XX として符号化します（パーセント符号化というのはこれに起源があります）。

　https://ja.wikipedia.org/wiki/夏目漱石（読んで意味がわかるために '復号化された URL' といいます）を URL 符号化した https://ja.wikipedia.org/wiki/%E5%A4%8F%E7%9B%AE%E6%BC%B1%E7%9F%B3 によって Web

ブラウザはその文字コードの元で正しくインターネット情報にアクセスすることができるというわけです。

7.2.3 ハイパーリンクを併用する

'正しく'アクセスできるための URL 符号化された文字列がわかったとします。インターネット情報を参考文献リストに掲載する際には次の 2 つを同時に満たすように工夫します。

● 作成した文書が印刷物として配布された場合であっても、目的とする情報へのアクセス方法を読んで理解できる。

● ファイルとして閲覧しているときにその場でアクセスできるようにリンクを埋め込んでおく。

URL 符号化された文字列は、意味不明で参照先の情報がどのようなものか推測できないことに加えて、長大になりがちな URL を入力することも事実上不可能です。

書誌情報として URL を文字列で表す場合には、パッケージ hyperref（節 6.1）を使って復号化された URL を正しく表記するだけでなく、参考文献のタイトルなどから目的の URL へのリンクを張るように工夫します。

以下の夏目漱石の例では、URL 符号化した URL はリンク先情報として PDF ファイルに埋めこんでしまい、読んで理解できる復号化した URL をアンカー文字列としています。Perelman の論文の例では、論文タイトルからリンクを張ると共に、その URL もリンク付きで提供しています。

```
1  \bibitem{natsume} 夏目漱石
2  \href{https://ja.wikipedia.org/wiki/%E5%A4%8F
```

```
3        %E7%9B%AE%E6%BC%B1%E7%9F%B3}
4        {https://ja.wikipedia.org/wiki/夏目漱石}.
5  \bibitem{pere_ricci} G.~Perelman,
6  \href{https://arxiv.org/abs/math/0211159}
7        {The entropy formula for the Ricci flow
8          and its geometric applications},
9       \url{https://arxiv.org/abs/math/0211159}.
```

　書誌情報に対するこうした配慮は、インターネット情報だけでなく印刷物である書籍についても有益です。書名などから図書館に収蔵されている書誌情報へリンクしておくと読者の利便はさらに高まります。次の例では、書名から国立国会図書館サーチ (http://iss.ndl.go.jp) で提供される詳細な書誌情報にリンクしています（印刷文書ではリンク情報がわからなくとも、十分な書誌情報を記載していることが前提です）。

```
1  \bibitem{human_rights} 高木八尺,末延三次,宮沢俊義編,
2  \href{http://iss.ndl.go.jp/books/R100000002-
3        I000000962427-00}
4     {人権宣言集}, 岩波文庫, 1957.
```

7.3　索引の作成

　索引の作成は通常の書籍編集において最も手間のかかる作業のひとつです。ほぼ仕上がった書籍から用語を拾い出し、登場ページを記録して、五十音順あるいはアルファベット順に並べ替える必要があります。それでも索引が付いた書籍は書物内容に加えて大きな利便性を獲得します。

　LaTeX では文書内の索引に載せたい語に\index でマーク

しておき、索引化ソフトウエアツール MakeIndex を使って自動的に索引を作成することができます。MakeIndex を日本語化したものが mendex と upmendex です（upLATEXでは upmendex を使います）。

　ここでは、mendex を使って索引付き文書を作成する手順を紹介します。LATEX のクラウドサービス Cloud LaTeXや Overleaf では MakeIndex コマンドをあらわに使うことはできませんが、バックグラウンドで働かせて索引付きの文書を作ることが可能です。

7.3.1　索引作成の準備

　索引の付いた文書を作成するには、次のようにプリアンブルでパッケージ makeidx を読み込み、続けて \makeindexを書きます。さらに、索引を出力したい場所（通常は、参考文献リストよりも後の文書末尾）に\printindex を書きます。

```
1  \documentclass{jsarticle}
2  ...
3  \usepackage{makeidx}
4  \makeindex
5  \begin{document}
6  ...
7  ...
8  \printindex
9  \end{document}
```

　こうしておいて次の節 7.3.2 で紹介する索引語を登録していなくても組版にはなんら影響を及ぼしません。

7.3.2　**索引語の登録**

索引として掲載したい索引語を文中で選び、その直後に \index を使って索引語として登録します。文中に登場する同じ語を何箇所でも索引語として登録できます。索引語が半角アルファベットや平仮名・カタカナだけからなる場合には、

```
1  \index{索引語}
```

とし、漢字を含む読み方を指定する必要がある索引語には、その読み（ひらがな）を記号 @ で区切って、

```
1  \index{よみかた@索引語}
```

とします。たとえば次のように記載することになります。

```
1  「はやぶさ 2」
2  \index{はやぶさ 2}
3  は、「はやぶさ」
4  \index{はやぶさ}
5  後継機として小惑星標本採取
6  \index{しょうわくせいひょうほんさいしゅ@小惑星標本採取}
7  を行うミッションのためのプロジェクトです。
```

文書中で\index{}によって索引語指定がなされていても、文書の出力には何の影響もありません。たとえば、上の例を組版した出力は、

> 「はやぶさ 2」は、「はやぶさ」後継機として小惑星標本採取を行うミッションのためのプロジェクトです。

となります。

将来索引を必要とする可能性がある文書を作成する場合

には、いささか面倒な作業ですが、できる限り索引語指定を
しておきます。

　特殊文字を含む語を索引語とするとき、たとえば LaTeX
の場合では \index{LaTeX@\LaTeX}のように LaTeX の読
みを指定します。読み方については大文字・小文字の区別は
なく、'LaTeX' でも 'latex' でも構いません。

　索引語に登録する際、索引語登録やその読みにおいても**揺
れ**に注意します。たとえば、'コンピュータ' と 'コンピュー
ター' とは違う索引語になります。また、同じ索引語に異な
る読みを指定したときにも、別の索引語として扱われます。

　実際の索引は、最初に英文字で始まる項目がアルファベッ
ト順に並び、次いで日本語文字で始まる項目が五十音（あい
うえお）順に並びます。次の節 7.3.3 の作業によって索引語
ファイルを生成して、再度組版作業をすると、図 7.2 のよう
な索引ページが得られます。

7.3.3　索引ファイルの出力

　\printindex の記載がある箇所に先のような索引ページ
を組版するには、次の手順に従ってコマンド処理（ターミナ
ルウィンドウを開いてキーボードからコマンドを入力し目的
のファイルを操作する）を行います。

1. 目的の LaTeX ルートファイル（main.tex）を組版処理
   （目次の整合性を得るために 2 回の組版が必要）。拡張
   子 .idx の付いた索引情報ファイル main.idx が生成
   される。
2. ツール mendex（upmendex）を使って拡張子 .ind が付

索引

JAXA, 3, 17, 34

NASA, 16

イオンエンジン, 20
イトカワ, 22

宇宙航空開発機構, 3

火星, 15, 29
岩石, 12, 27, 39

小型ローバー, 41
国際宇宙探査, 43

サンプル採取, 40

姿勢制御, 33

重力, 22
衝突装置, 40
小惑星, 7, 21
小惑星探査, 11
人工クレーター, 35

彗星, 10
スウィングバイ, 23

大気, 25
太陽系, 5
太陽系の起源, 10, 27, 38

地球帰還, 19, 37
着陸, 11, 33

トロヤ群, 9

はやぶさ, 18
はやぶさ 2, 6, 23, 34

粉砕, 39

ボイジャー, 16

木星, 15, 25

有機物, 17, 35

ラグランジュ点, 9

リュウグウ, 21, 32

惑星探査, 7
惑星の誕生, 42

図 7.2　索引の出力例

いた**索引ファイル**（main.ind）を次のように作成する。

```
1  $ mendex main.idx
```

mendex（upmendex）は idx ファイルを読み込んで、索引語をアルファベット順と五十音順に並べ替えた登場ページ番号が記載された索引ファイルを生成する。

　念のために、索引ファイル main.ind が作成されていることを確認。

3. 再度ルートファイル（main.tex）を組版処理。
　\printindex は索引ファイルを読み込んで、索引ページを含んだ文書を作成する。

ただし、LaTeX クラウドサービス Cloud LaTeX や Overleafを使っている場合には、背後で索引作成コマンドが実行されており、索引語を登録した段階で続けて2回コンパイルすると正しい索引ページが得られます。索引語の登録と索引ファイルの生成の同期が取れない場合には、組版を繰り返してみてください。

第 **8** 章

作表

$a^{b^{c^{d}}}$

データを視覚的にわかりやすく配置したものを表（table）といいます。文書内に表として組版することを作表と呼び、利用する文書ソフトウエアごとにさまざまな方法が工夫されています。Office 系ソフトウエアでは表計算ソフトウエアを使って罫線処理などを行って作表でき、それを文書内に取り込む方法が一般的です。

　LaTeX においても作表機能が標準で tabular 環境として用意されています。さらに改良・効率化を目指したパッケージも多数提供されています。しかしながら、LaTeX における作表作業は、データ数が多い場合や複雑な罫線処理を必要とする場合に思い通りの組版結果を得ることはたいへん面倒になります。

　このため、http://www.tablesgenerator.com のような作表サービスを使って GUI で作表したり、表計算ソフトウエアで保存した CSV ファイルを読み込んで LaTeX ソースを生成したものを再編集して調整するなどの方法を併用するとよいでしょう。

8.1　単純な作表

　文中に表を置くには次のように tabular 環境で作表します。

　ここでは、\begin{center}と\end{center}で囲んでテキストの中央に表を配置するようにしています。

```
1  \begin{center}
2  \begin{tabular}{lcr}
3  \hline
```

```
4  左寄せ & 中央 & 右寄せ\\
5  \hline
6  1    & 2   & 3\\
7  $\leftarrow$ & $\leftrightarrow$ & $\rightarrow$\\
8  \hline
9  \end{tabular}
10 \end{center}
```

　表を構成する列の区切りは記号 & で表し、行の最右端の要素の後で強制改行 \\ します。横罫線を表の全幅にわたって引くには\hline と書きます（改行は不要）。

　\begin{tabular}に続く{lcr}は**列指定**で、表を構成する列要素のセル内での配置を文字 l（エル），c, r を並べて指定します。表の列数と配置指定の数は一致していなければなりません。{lcr}は 3 列からなる表で、1 列目をセル内に左寄せ（l）、2 列目を中央（c）、そして 3 列目を右寄せ（r）に配置します。

　こうして次の表 8.1(a) が得られます。表の見出し行の次の横罫線\hline を\hline\hline にすると横二重罫線となり表 8.1(b) が得られます。

8.1.1　縦罫線の使い方

　表に縦罫線を引くには\begin{tabular}の後にある列指定{lcr}に縦棒 | を加えます。{l|c|r} とすると表 8.1(c) に、両側にも縦棒を加えて {|l|c|r|} とすると表 8.1(d) が得られます。

　欧文スタイルの表では、表の上下および見出し行（または見出し列）に罫線を引き、両端の縦罫線は引きません。誤解が生じない限りは各行や各列ごとに罫線を引かない流儀が多

表 8.1 単純な表における罫線の引き方

左寄せ	中寄せ	右寄せ
1	2	3
←	↔	→

(a) 横罫線なし

左寄せ	中寄せ	右寄せ
1	2	3
←	↔	→

(b) 横二重罫線

左寄せ	中寄せ	右寄せ
1	2	3
←	↔	→

(c) 縦罫線

左寄せ	中寄せ	右寄せ
1	2	3
←	↔	→

(d) 両側縦罫線

いようです。

8.2 表の列配置

改めて、tabular 環境の使い方を詳しく見ていきましょう。tabular 環境は次のような書式を持ちます。

```
1  \begin{tabular}{列指定}
2  ...
3  表を構成するセルの並び
4  ...
5  \end{tabular}
```

項目の各セルにおける配置やセル幅を定める列指定を表 8.2 に示しました。

表の項目の列の区切りは記号 & で表し、各行における項目数は列指定で指定した数以下でなければなりません。

表 8.2　tabular 環境の列指定要素

列指定の要素	意味	備考
l	項目を左寄せ	小文字のエル
c	項目を中央に	
r	項目を右寄せ	
p{列幅}	列幅を指定して要素を左寄せ	p{2cm}のように列幅を直接指定するだけでなく、p{0.2\textwidth}とテキスト幅の割合でも指定可能
>{\centering}p{列幅}	列幅を指定して項目を中央に	
>{\raggedleft}p{列幅}	列幅を指定して項目を右寄せ	
|	項目間に縦罫線を引く	縦棒
||	項目間に 2 重縦罫線を引く	縦棒 2 本

　表の各行の区切りには強制改行 \\ （2 つのバックスラッシュ）を使います。ただし、表の最終行の後は \\ は不要です。また、\hline などで横罫線を引いた後にも\\ は不要です。強制改行までの項目数が列指定の個数未満のときには、残りの項目は空白として扱われます。

8.3　表の横罫線

　tabular 環境内で利用できる横罫線を表 8.3 に示します。\hline は行罫線を表の全幅にわたって引きます（行区切り\\は不要です）。続けて\hline\hline とすると二重罫線になります。

表 8.3 tabular 環境の横罫線

列指定の要素	意味	備考
\hline	横罫線を引く	表の全幅にわたる
\cline{start-end}	start 列から end 列までの横部分罫線	横罫線は行要素

　指定した start 列から end 列の範囲に横部分罫線を引くには \cline{start-end} を使います（\\は不要です）。横罫線を引く範囲はユーザの責任で整合性を保ってください（start ＝ end でも構いません）。表 8.3 では 1 列目と 3 列目だけに横部分罫線を引いています。

　罫線 \hline や \cline は表を構成する行として扱われますが、その行には罫線以外の要素を含ませないようにします。

　表 8.3 の tabular 環境は次のように書いています。部分罫線を描いた後に、\\[-10pt] によって行間隔を −10 ポイント詰める調整をしています。

```
1  \begin{tabular}{l|p{2.5cm}|l}
2  \hline
3  列指定の要素 & 意味 & 備考\\
4  \hline\hline
5  \verb+\hline+ & 横罫線を引く & 表の全幅にわたる\\
6  \cline{1-1} \cline{3-3}\\[-10pt]
7  \verb+\cline{start-end}+ & start列からend列までの横部
   分罫線 & 横罫線は行要素\\
8  \hline
9  \end{tabular}
```

表 8.4 世界の河川

河川名	河口	長さ (km)
アフリカ		
ナイル	地中海	6695
コンゴ	南大西洋	4667
北アメリカ		
ミシシッピー	メキシコ湾	5969
ユーコン	ベーリング海	3018
南アメリカ		
アマゾン	南大西洋	6516
ラプラタ	南大西洋	4500

8.4 表の列割および行割の変更

LaTeX の表組みで一番悩ましいのは列および行の分割の変更（行または列を構成する連続するセルを結合して1つのセルとすること）です。表8.4のアフリカの行のように、連続するセルを結合して1つのセルとするには、次のように \multicolumn{結合要素数}{配置}{セル内容}を使います。

```
1  \begin{tabular}{l|l|l}
2  \hline
3  河川名 & 河口 & 長さ (km)\\
4  \hline\hline
5  \multicolumn{3}{l}{アフリカ}\\
6  \hline
7  ナイル & 地中海 & 6695\\
8  コンゴ & 南大西洋 & 4667\\
9  \hline
10 \multicolumn{3}{l}{北アメリカ}\\
11 \hline
12 ミシシッピー & メキシコ湾 & 5969\\
13 ユーコン & ベーリング海 & 3018\\
14 \hline
```

```
15   \multicolumn{3}{l}{南アメリカ}\\
16   \hline
17   アマゾン & 南大西洋 & 6516\\
18   ラプラタ & 南大西洋 & 4500\\
19   \hline
20   \end{tabular}
```

　　tabular 環境では列方向に要素を結合させるコマンドは用意されていません。セルを「列方向に結合」したように行割を変更して作表するには、節 8.3 で紹介した\cline を使って必要な横部分罫線だけを引き、結合したセルには横罫線を引かないようにします。

　　「列方向に結合」したセル内の要素の上下位置は次の\raisebox コマンドで調整します。

```
1   \raisebox{移動量}[高さ][深さ]{移動させる対象}
```

　　オプションの [高さ] はベースラインより上方の高さ、[深さ] はベースラインの下方の深さを表します。

　　表 8.5 では、次のように\raisebox のオプションの双方を [0pt] としておいて対象とする要素を下に移動しています。

```
1    \begin{tabular}{l|l|l|l}
2    \hline
3    地域 & 河川名 & 河口 & 長さ (km)\\
4    \hline
5    \raisebox{-\normalbaselineskip}[0pt][0pt]{アジア}
6        & 長江 & 東シナ海 & 6380\\
7    \cline{2-4}
8        & オビ & オビ湾 & 5668\\
9    \cline{2-4}
10       & 黄河 & 渤海 & 5464\\
11   \hline
```

表 8.5 世界の河川

地域	河川名	河口	長さ (km)
アジア	長江	東シナ海	6380
	オビ	オビ湾	5668
	黄河	渤海	5464
ヨーロッパ	ボルガ	カスピ海	3688
	ドナウ	黒海	2850

```
12  \raisebox{-0.5\normalbaselineskip}[0pt][0pt]{ヨーロ
    ッパ} & ボルガ & カスピ海 & 3688\\
13  \cline{2-4}
14     & ドナウ & 黒海 & 2850\\
15  \hline
16  \end{tabular}
```

8.5 作表における技巧

8.5.1 表全体の幅指定 tabularx

tabular 環境では列指定 p{幅指定}によって調整することで表全体の幅を指定することができますが、調整は面倒になります。

そこで、プリアンブル部で tabularx パッケージを読み込んでおくと、表全体の幅を指定した作表が簡単になります。

```
1  \usepackage{tabularx}
```

表の幅指定にはテキスト幅に対する割合 0.7\textwidth や、長さの単位を使った 6.5cm や 250pt のような指定が可能です。

表 8.6 基本単位

基本単位	記号	説明
時間	秒 (s)	^{133}Cs の基底状態の 2 つの超微細準位の間の遷移に対応する放射の 9192631770 周期の継続時間
長さ	メートル (m)	光が真空中で 1/299792458 秒の間に進む距離

```
1  \begin{tabularx}{表の幅指定}{列指定}
2  ...
3  表を構成するセルの並び
4  ...
5  \end{tabularx}
```

ただし、tabularx 環境では列指定において少なくとも 1 つの列に X（大文字のエックス）を使う必要があります。表幅の調整はこの X を指定した列で行われます。X で指定した列はすべて同じ幅に調整されます。

表 8.6 は、tabularx 環境を使って、

```
1  \begin{tabularx}{8.0cm}{l|l|X}
```

と表幅を 8.0 cm にして得たものです。3 列目の幅が X によって自動調整されています。

8.5.2　小数点を揃えた表 dcolumn

表では、小数点などの位置を揃えて表示するとわかりやすくなる場合が少なくありません。標準 LaTeX を使う場合には\hphantom を使って表示幅を揃える方法がありますが煩雑です。ここでは dcolumn パッケージを使った方法を紹介します。

　プリアンブル部で dcolumn パッケージを読み込んでおき
ます。

```
1  \usepackage{dcolumn}
```

　小数点を揃えた表を作表するために、\begin{tabular}
に続く列指定において小数点を揃えたい列を D で次の書式
に従って表します。

```
1  D{小数点を表す文字}{小数点を出力する記述}{桁数指定}
```

　表 8.7 の場合、D{.}{.}{3.11}と指定しました。ソース
ファイルの記述において小数点を表す文字を{.}、小数点を
出力する記述を{.}、桁数指定として小数点の左側の桁数を
3 とし小数点の右側の桁数を 11 とするために{3.11}として
います。実際、表 8.7 の tabular 環境は次のように書いて
います。

```
1   \begin{tabular}{c|D{.}{.}{3.11}}
2   \hline
3   同位体 & 質量\\
4   \hline
5   ${}^1_1\mathrm{H}$ & 1.00782503207\\
6   ${}^4_2\mathrm{He}$ & 4.00260325415\\
7   ${}^7_3\mathrm{Li}$ & 7.01600455\\
8   ${}^{11}_5\mathrm{B}$ & 11.0093054\\
9   ${}^{107}_{47}\mathrm{Ag}$ & 106.905097\\
10  ${}^{238}_{92}\mathrm{U}$  & 238.0507882\\
11  \hline
12  \end{tabular}
```

8.5.3　セルに色を付ける

　表のセルに色をつけるには colortbl パッケージを使い

181

表 8.7 同位体の質量（^{12}C の質量を 12 とする）

同位体	質量
$^{1}_{1}$H	1.00782503207
$^{4}_{2}$He	4.00260325415
$^{7}_{3}$Li	7.01600455
$^{11}_{5}$B	11.0093054
$^{107}_{47}$Ag	106.905097
$^{238}_{92}$U	238.0507882

ます。プリアンブル部でパッケージを読み込んでおきます。xcolor パッケージにパラメータ table を指定して読み込むこともできます。

```
1  \documentclass[table,...]{jsarticle}
2  \usepackage{colortbl}
3      %または
4  \usepackage[table]{xcolor}
```

ただし、\usepackage[table]{xcolor}で読み込んだ場合、しばしば使われる tabularx パッケージ（節 8.5.1）との間で不具合が生じる場合があります（常に生じるわけではありません）。

列全体の色指定 \columncolor

\begin{tabular}の列指定で背景色をつけたい列の書式指定（l,c,r などの文字列）の前に次のように指定します。

```
1  >{\columncolor{色名}}
2      %または
3  >{\columncolor[カラーモデル]{パラメータ}}
```

表 8.8 では、

```
1   {>{\columncolor[gray]{0.8}}r|r|l|D{.}{.}{3.5}}
```

によって1列目の色をグレイスケールで0.8としています。

行全体の色指定 \rowcolor

　表の1行全体に背景色をつけるには、行の先頭の要素の前に次のように指定します。先頭以降の要素で指定して、行末まで色をつけようとすると失敗します。

```
1   \rowcolor{色名}
2       %または
3   \rowcolor[カラーモデル]{パラメータ}
```

　表8.8では、木星で始まる行全体をグレイスケールで0.4とするために\rowcolor[gray]{0.4}木星としています。

セルの色指定 \cellcolor

　特定のセルに色をつけるには、その表要素の前に次のように指定します。

```
1   \cellcolor{色名}
2       %または
3   \cellcolor[カラーモデル]{パラメータ}
```

　こうして複数の色が指定された場合には\cellcolor が最優先で、次に\rowcolor が優先され、\columncolor の優先度は最下位となります。

　表8.8の tabular 環境は次のように書かれています。4列目は小数点で揃えています（節8.5.2）。

```
1   \begin{tabular}
2       {>{\columncolor[gray]{0.8}}r|r|l|D{.}{.}{3.5}}
3   \hline
```

表 8.8 色を付けた表

惑星	長半径	離心率	質量
水星	0.3871	0.2056	0.05527
金星	0.7233	0.0068	0.8150
地球	1.0000	0.0167	1.0000
火星	1.5237	0.0934	0.1074
木星	5.2026	0.0485	317.83
土星	9.5549	0.0555	95.16
天王星	19.2184	0.0463	14.54
海王星	30.1104	0.0090	17.15

```
 4   惑星 & 長半径 & 離心率 & 質量\\
 5   \hline \hline
 6   水星 & 0.3871     & 0.2056 & 0.05527\\
 7   金星 & 0.7233     & 0.0068 & 0.8150\\
 8   地球 & 1.0000     & 0.0167 & 1.0000\\
 9   火星 & 1.5237     & 0.0934 & 0.1074\\
10   \rowcolor[gray]{0.4} 木星 & 5.2026  & 0.0485
11      & \cellcolor[gray]{0.9} 317.83\\
12   土星 & 9.5549     & 0.0555 & 95.16\\
13   天王星 & 19.2184   & 0.0463 & 14.54\\
14   海王星 & 30.1104   & 0.0090 & 17.15\\
15   \hline
16   \end{tabular}
```

8.5.4 縦書きのセル

　作表時にしばしばセル内の文字を縦組みにしたくなるときがあります。節 6.4.2 で紹介した縦組み用の plext パッケージをプリアンブル部で読み込んでおくと作表に縦書きを取り入れることができます。

```
1  \usepackage{plext}
```

plext パッケージを使う作表において縦書き指定するためには、節 6.4.2 で紹介した\pbox<組方向>{文字列}で縦組み<t>を使うか、または水平な箱を作るコマンド \hbox 内で縦組みのためのコマンド\tate を次のように使います。

```
1  \hbox{\tate 縦組み文字列}
```

縦　横
に　で
な　な

たとえば、るやいはそれぞれ\hbox{\tate 縦になる}や\pbox<t>{横でない}で得られます。これを表組み内で使うのです。

表 8.9 は\pbox<t>と\hbox{\tate }の双方を使って作表しました。tabular 環境は次のように書かれています。

```
1  \begin{tabular}{c|r|r|r|r|r}
2  \hline
3  \pbox<t>{食品名} & \hbox{\tate エネルギー}
4               & \hbox{\tate 水　　分}
5               & \hbox{\tate たんぱく質}
6               & \hbox{\tate 脂　　質}
7               & \hbox{\tate \,炭水化物\,}\\
8  \cline{2-6}
9      & kcal & \multicolumn{4}{c}{g}\\
10 \hline
11 牛肉   & 286  & 58.5 & 17.7 & 23.3 & 0.3\\
12 さんま & 310  & 55.8 & 18.5 & 24.6 & 0.1\\
13 大豆   & 417  & 12.5 & 35.3 & 19.0 & 28.2\\
14 精白米 & 356  & 15.5 &  6.1 &  0.9 & 77.1\\
15 \hline
16 \end{tabular}
```

表 8.9　100g 当たりの食品エネルギーと成分

食品名	エネルギー	水分	たんぱく質	脂質	炭水化物
	kcal	g			
牛肉	286	58.5	17.7	23.3	0.3
さんま	310	55.8	18.5	24.6	0.1
大豆	417	12.5	35.3	19.0	28.2
精白米	356	15.5	6.1	0.9	77.1

8.5.5　図表としての取り扱い

　tabular 環境で作成した表は本文中の大きな 1 文字として扱われます。図を figure 環境（節 3.6.3）内に置いたように、表に連番をつけて本文から離して取り扱うためには、次のように table 環境内に置きます。tabular 環境に置いた表は、さらに center 環境で挟んで中央に配置するとよいでしょう。

```
1  \begin{table}[htbp]
2  \begin{center}
3  \begin{tabular}{列指定}
4     作表ソース
5  \end{tabular}
6  \end{center}
7  \caption{表の説明}
8  \label{ラベル名}
9  \end{table}
```

第 **9** 章

スライドの作成

LaTeX を使ってプレゼンテーションのためのスライドを作成する数多くのパッケージが提案されてきました。ここでは現在 LaTeX で作成するスライドの事実上の標準となっている beamer パッケージ [*1] を使ったスライドの作成を簡単に紹介します。

Beamer では LaTeX を使う他の方式と同様に PDF ファイルを生成して、PDF の各ページをスライドの 1 シーンとして提示しプレゼンテーションを進めていきます。

Beamer ではページリンク機能およびアニメーション機能が豊富に用意され、多くのデザインテーマが付属、さらには公開されており（それらを改造して自分専用のテーマ作成も可能）、専用のプレゼンテーションソフトウエアにも匹敵する、数式を使った美しいスライドを作成することができます。表 9.1 に The beamer class User Guide（ver.3.58）[*2] で紹介されているテーマを掲げました。

Beamer で提供（または再定義）されている LaTeX 環境やコマンドは多くあります。より詳しく知りたい方は User Guide を参照してください。

[*1] The beamer package http://www.ctan.org/tex-archive/macros/latex/contrib/beamer/.

[*2] beamer https://www.ctan.org/pkg/beamer の Package documentation にあります。

表 9.1 The beamer class User Guide で紹介されているテーマ

スライドの特徴	テーマ
ナビゲーションバー無し	Default Bergen, Boadilla Madrid, AnnArbor CambridgeUS, EastLansing Pittsburgh, Rochester
ツリー的ナビゲーション	Antibes, JuanLesPins Montpellier
目次サイドバー	Berkeley, PaloAlto Goettingen, Marburg Hannover
ミニフレームナビゲーション	Berlin, Ilmenau Dresden, Darmstadt Frankfurt, Singapore Szeged
節と小節からなる表	Copenhagen, Luebeck Malmoe, Warsaw

9.1 Beamer ファイルのプリアンブル

図 9.1 は付属のテーマ CambridgeUS で生成されたスライドのタイトルページです。

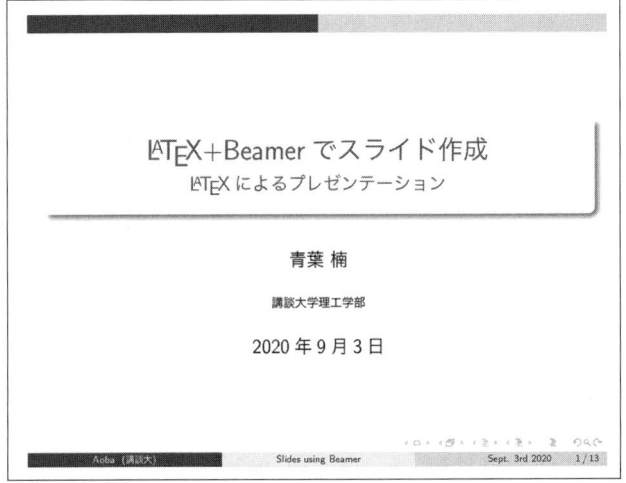

図 9.1 Beamer テーマ CambridgeUS で作成したタイトルページ

小さすぎてわかりづらいですが、スライド右下にプレゼンテーションのためのナビゲーションアイコンが並び、このテーマではすべてのスライドのフッタに著者、タイトル、日付（指定すればその短縮形）、ヘッダには節と小節の見出しが表示されます。

次に、Beamer を使ったスライド作成のためのソースの先

頭部分\documentclass[dvipdfmx,12pt]{beamer}から
\begin{document}までのプリアンブル部を示しました。

```
1  \documentclass[dvipdfmx,xcolor={dvipsnames},12pt]{
   beamer}
2  \usepackage{bxdpx-beamer}
3  \usepackage{pxjahyper}
4  \usepackage{minijs}
5  \renewcommand{\kanjifamilydefault}{\gtdefault}
6  \usepackage{otf}
7  \usetheme{CambridgeUS}
8
9  \usepackage{amsmath,amssymb,amscd}
10 \usepackage{graphicx}
11
12 %% 講演タイトル/所属情報
13 \title[Beamerでスライド]{\LaTeX{}+Beamerでスライド作
   成}
14 \subtitle{\LaTeX{}によるプレゼンテーション}
15
16 \author[Aoba]{青葉 楠}
17 \institute[講談大]{講談大学理工学部}
18 \date[2020年 9月 3日]{2020年 9月 3日 月例研究セミナー}
19 \subject{\LaTeX{}+Beamer}
20
21 \begin{document}
22     スライド本文
23 \appendix
24     目次に登場しないスライド内容
25 \end{document}
```

　Beamer でスライドを作成するにはまず文書クラスに
beamer を指定し、PDF ファイルを生成するドライバ
dvipdfmx、および Beamer で読み込まれる xcolor パッ
ケージの色種類名として例えば dvipsnames を使うために

オプション xcolor={dvipsnames} を渡します。

さらに2行目で bxdpx-beamer パッケージを読み込みます（スライド右下に現れるスライド送りなど「ナビゲーション」アイコン機能を実現します）。

Beamer では自動的に hyperref パッケージを読み込み「しおり」情報を生成しますが、節 6.1 でも紹介したように和文の文字化けを防ぐために3行目で pxjahyper を読み込みます。

4行目の minijs の読み込みは、スライドの中で和文を美しく（正常に）組版するための設定です。5行目は和文をゴシックで表示するためのコマンドです。

さらに、ここでは6行目で OpenType フォントを (u)pLaTeX で使うためのパッケージを読み込んでいます。ただし、このパッケージを活用するには、あらかじめ Open-Type フォントのインストールが必要です。

この例では、Beamer テーマとして CambridgeUS を使っていますが（7行目）、必ずしもこうしたテーマを指定せずとも\usetheme{default}として簡素なスライドを作成することもできます。

9,10行目には数式のための AMS パッケージや画像の張り込みなどに必要な graphicx パッケージを読み込んでいます。必要に応じて追加してください。

12行目以下は、スライドに表示するタイトル・著者情報です。\title に加えて\subtitle でサブタイトル、\author に加えて\institute で所属情報を表示することができます。いずれも、オプションで短縮情報を [...] に書いて、生成されるスライドにある上部または下部に表示することがで

きます（テーマによって表示方法は変わります）。

9.2　スライドの構成

Beamer プレゼンテーションでは文書構造として論文クラスと同じく\section と\subsection を使うことができ、これらは目次コマンド\tableofcontents で一覧表示されます。通常の LaTeX 文書と同じく、section*のように * をつけると目次には登場しません。

Beamer スライドはスライド内容である本文以外に、指定したテーマに応じて上部のスライドヘッダおよび下部のスライドフッタから構成されています。そして frame 環境に記載されたものがスライド本体に表示されます。

選んだテーマにもよりますが、おおむねスライドフッタにはタイトル、著者情報や日付などが、スライドヘッダには\section や\subsection の見出しが該当ページへリンクされたうえで表示され、これらはナビゲーションバーとして利用できるようになっています。

短く見出しを表示するためには、\section[短縮見出し]{見出し}や\subsection[短縮見出し]{見出し}のように書いて短縮見出しを指定します。

9.2.1　タイトルページと目次

Beamer プレゼンテーションでは、\begin{document} から始まる本文に並べる複数の frame 環境（\begin{frame}から\end{frame}）の中にスライド内容を記述します。

まず、タイトルページとプレゼンテーションの流れを紹介するスライドを生成するためにタイトルコマンド \titlepage および目次コマンド \tableofcontents を書きます。目次では本文内に書いた \section および \subsection で指定した見出しが表示されます。

続くスライド内容を各 frame 環境内に記述していきます。frame 環境では原則として \frametitle{スライドタイトル} でスライドにタイトルを与えます（省略しても構いません）。

```
1  \begin{document}
2  \begin{frame}
3  \titlepage% タイトルページ
4  \end{frame}
5
6  \begin{frame}
7  \frametitle{発表の流れ}
8  \tableofcontents% スライド目次
9  \end{frame}
10
11 \section[短縮見出し]{見出し}
12 \begin{frame}
13 \frametitle{スライドタイトル}
14 ...スライド内容
15 \end{frame}
16 ...
17 \end{document}
```

9.2.2 frame 環境

最も単純な方法としては、1 つの frame 環境に 1 枚のスライド内容を記述し、frame 環境を複数並べることでプレ

ゼンテーションスライドを作成します。ただし、必ずしも 1
つの frame 環境が 1 枚のスライドになるわけではありませ
ん。frame 環境内では、大抵の LaTeX コマンドや環境を使
うことができますが、さらにオーバーレイ（アニメーション
ということもあります）や特別な書き方でスライド作成が可
能です。オプションオーバーレイ指定については節 9.3 で説
明します。

　frame 環境は次のような書式に従い、オプションを指定
できます。

```
1  \begin{frame}<オーバーレイ指定>[オプション]
2  \frametitle{スライドタイトル}
3  \framesubtitle{サブタイトル}
4  ...フレーム内容
5  \end{frame}
```

　frame 環境で指定できるオプションを表 9.2 にまとめま
した。

　フレーム内でコマンド\verb や verbatim 環境を使うた
めにはオプション fragile が必要です。

　オプション shrink が指定してあれば、フレーム内のコ
ンテンツを（収納できなければ）一様に縮小して自動的に 1
枚のスライドに収めてくれます。フレーム内容が多い場合、
shrink オプションがあると文字を含めて全体をうんと小さ
く縮小して収めてしまい、スライド内容が把握しづらくなっ
てしまうことに注意してください。

　このようにフレーム内容が長くなる場合やスライドを
またぐような数式を記述する場合には、shrink を指定
する代わりにオプション allowdisplaybreaks（さらに

表 9.2 frame 環境のオプション

オプション	機能
t,c,b	フレーム内容の垂直位置：上揃え t、中央 c（デフォルト）、下揃え b
plain	ヘッダ、フッタ、サイドバーを省略し、広くスライドを使う。
fragile	スライド内で\verb や lstlisting 環境を使う。verbatim 環境を使いたい場合には Beamer で定義されている semiverbatim 環境を使うとよい。
label=name	当該の frame 環境の外部の任意の場所で\againframe{name} を書くと name ラベルで指定したフレーム内容を再表示する。
shrink=最小縮小率 (%)	フレーム内容がスライドに収まらないとき、フレームタイトルを除いたテキスト高にフレームを収めるように縮小する。最小縮小率は 5,10 などを指定する。
allowdisplaybreaks	数式においてスライドをまたぐ数式を許可するオプションで、式が長いときは allowframebreaks と併せて指定。
allowframebreaks	1 枚のスライドに収まらないフレーム内容を複数のスライドに分割。オーバーレイは使えなくなる。

allowframebreaks の両方）を指定すると、フレーム内容が自動的に複数のスライドに分割されます。

フレームにスライドタイトルが指定されているときには、分割されたスライドには同じスライドタイトルが末尾にローマ数字 I, II, III, IV,... が付いて表示されます。

図 9.2 は次のフレーム内容に対応するスライドです。フレーム環境のオプションとして allowframebreaks と

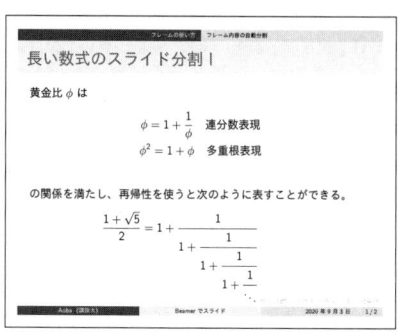

(a) 1 枚目

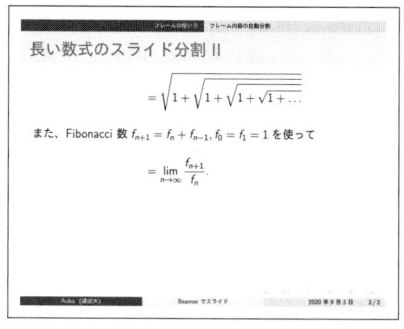

(b) 2 枚目

図 9.2　長い数式を複数スライドに分割

`allowdisplaybreaks` を指定してあるため、長い数式を書いたときには複数のスライドに分割される様子を示しています。スライドタイトルには自動的に連番 I, II が付いてい

ます。

```
1  \begin{frame}[t,allowframebreaks,allowdisplaybreak
   s]
2  \frametitle{長い数式のスライド分割}
3  黄金比 $\phi$ は
4  \begin{gather*}
5  \phi = 1 + \frac{1}{\phi}\quad \text{連分数表現}\\
6  \phi^2=1+\phi \quad \text{多重根表現}
7  \end{gather*}
8  の関係を満たし、再帰性を使うと次のように表すことができる
   。
9  \begin{align*}
10 \frac{1+\sqrt{5}}{2}
11  &= 1 + \cfrac{1}{1 +
12          \cfrac{1}{1 +
13            \cfrac{1}{1 +
14              \cfrac{1}{\ddots}}}}\\
15  &= \sqrt{1 + \sqrt{1 + \sqrt{1 + \sqrt{1
16     + \dots}}}}\\
17 \intertext{また、Fibonacci数
18      $f_{n+1}=f_n+f_{n-1}, f_0=f_1=1$を使って}
19  &= \lim_{n\rightarrow\infty}\frac{f_{n+1}}{f_n}.
20 \end{align*}
21 \end{frame}
```

9.3 オーバーレイ

専用のプレゼンテーションソフトウエアでは、スライドに表示されていない文字や画像を、説明の途中でタイミングを見計らいながら登場させるアニメーションと呼ぶ技法を使うことができます。同様の効果を Beamer では**オーバーレイ**（overlay 覆い）機能を使うことで実現します。

　Beamer のオーバーレイ機能は、表示しているスライド 1
枚の中でフレーム内容を動的に出し入れするのではなく、内
容の一部を覆ったり登場させたりしたスライドを複数枚生成
して、それらを順次表示してスライド内容が変化した効果と
して実現します。

　Beamer のオーバーレイ機能を使って生成した PDF ファ
イルのスライド数はスライド変化に応じた数だけ増加するの
で、印刷物として配布する場合には配慮が必要です。

9.3.1　表示の中断 \pause

　オーバレイによってフレーム内容が複数スライドに分割
される様子はフレーム内の表示を中断する \pause によっ
て確認できます。フレーム内に\pause が置かれると、それ
以降の表示が中断され、新しいスライドに次の\pause また
は\onslide（節 9.3.2）まで、あるいはフレーム内容の最後
までが表示されます。

　次の例では、箇条書き enumerate 環境の箇条項目ごとに
\pause を置いた例です。フレーム内に 2 つの\pause を置
いているため 1 枚に収まる内容でもスライドは 3 枚生成さ
れます（図 9.3）。

　オーバーレイによって覆われた部分を半透明化して表示
するために\setbeamercovered{transparent} を使って
います。

```
1  \begin{frame}[t, fragile]
2  \frametitle{表示の中断\textttt{\textbackslash}
3  \texttt{pause}}
4  \verb+\pause+を使うと次の\verb+\pause+までの表示が中断
。
```

```
 5  \setbeamercovered{transparent}
 6  \begin{enumerate}
 7  \item 箇条書きなどにおいて表示を中断し
 8  \pause
 9  \item 項目ごとに丁寧な説明を可能にするが
10  \pause
11  \item フレーム内容の先読みができない。
12  \verb+\setbeamercovered{transparent}+ によって
13  オーバーレイを半透明化できる。
14  \end{enumerate}
15  \end{frame}
```

9.3.2 **指定スライドでの表示** \onslide

フレーム内でオーバレイの仕方を指定するコマンドのいくつかを表 9.3 に示しました。

表 9.3 オーバーレイ効果の指定

コマンド	機能
\pause	表示の中断。
\onslide 修飾子<番号>{text}	フレーム内の text を指定したスライド番号に表示: 修飾子として指定できるのは、 * : 表示する時のみ text が挿入、 + : 非表示では text 幅が覆われる、 なし: 非表示では text 幅は背景色で覆われる。
\only<番号>{text}	指定スライド番号のみで text が挿入。\onslide * と同じ。
\uncover<番号>{text}	指定スライド番号のみで text が表示。\onslide + と同じく text 幅を占有。
\alt<番号>{text}{default}	指定スライド番号だけで text を表示、それ以外では default を表示。

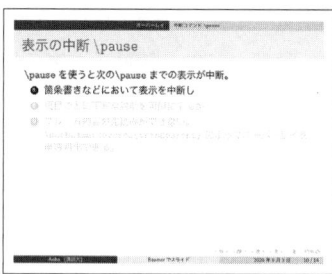

(a) 1 枚目

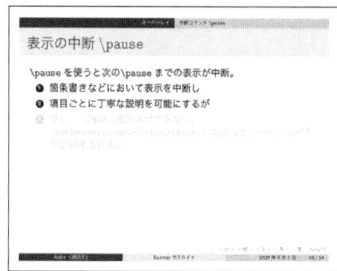

(b) 2 枚目

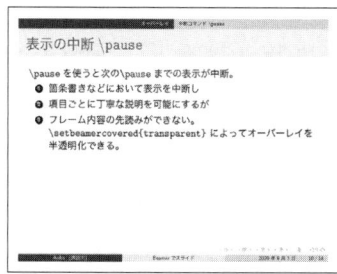

(c) 3 枚目

図 9.3 アニメーションの例

たとえば、オーバーレイを指定したスライド番号でスライド内容の一部を見せるためには、\onslide 修飾子<スライド番号>{text} を使います。修飾子は *、+、なし、のいずれかで、その与え方によってオーバーレイの効果を変えることができます。

　修飾子 * は指定されたスライド番号にだけ text が挿入され、指定外では text の存在すら消えてしまいます。

　一方、修飾子 + は指定スライドで text が登場するのは同じですが、指定外でも text 幅が保持され覆いでカバーされた状態で見えないようになります。ただし、\setbeamercovered{transparent}としてあると、この覆い方が半透明になって指定外のスライドでも薄く見えるようになります。修飾子がない場合、修飾子 + と同じですが、違いは覆い方がスライド背景色となり、薄く見えることもありません。

　スライド番号は 1 つだけでなく、たとえば<2,4>は 2 番目と 4 番目、<2-5>は 2 番目から 5 番目まで、<3->は 3 番目から最後まで、<-5>は 5 番目まで、さらに<-3,6-8>は 3 番目までと 6 番目から 8 番目までというように柔軟な指定が可能です。

　\onslide の効果を見るために、次のようなフレーム内の記述によって生成されるスライドを図 9.4 に示しました。オーバーレイ表示時期指定<番号>の指定からわかるように、1 つのフレームから 4 枚のスライドが生成されることに注意してください。

```
1  \begin{frame}[t, fragile]
2  \frametitle{表示時期の指定\textbackslash\texttt{onsl
```

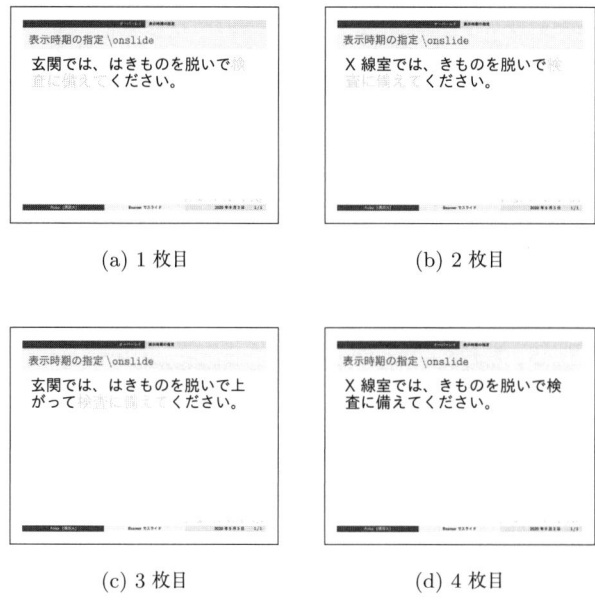

(a) 1 枚目

(b) 2 枚目

(c) 3 枚目

(d) 4 枚目

図 9.4　表示時期の指定

```
     ide}}
3    \huge
4    \setbeamercovered{transparent}
5    \onslide*<1,3>{玄関では}
6    \onslide*<2,4>{X線室では}、
7    \onslide*<1,3>{は}きものを脱いで
8    \onslide*<3>{上がって}
9    \onslide<4>{検査に備えて}ください。
10   \end{frame}
```

9.3.3 表示時期が使えるコマンド

コマンド\onslide 以外にも、箇条書きのための itemize 環境および enumerate 環境の\item を使って、次のようにオーバーレイ表示時期を制御できます。

表示されないスライドページにおいても、図 9.5 に示したように、箇条項目のための領域が確保されていることに注意してください。

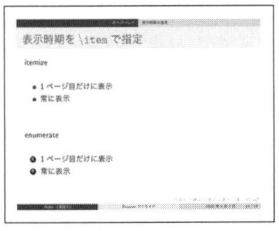

(a) 1 枚目

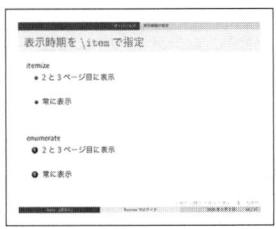

(b) 2 枚目

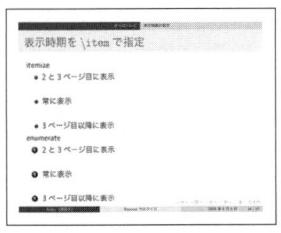

(c) 3 枚目

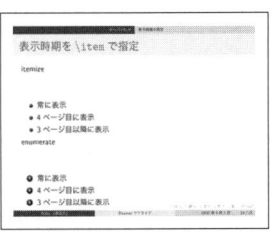

(d) 4 枚目

図 9.5 表示時期の指定 (2)

```
1  \begin{frame}[t, fragile]
2  \frametitle{表示時期を\textbackslash\texttt{item}で
   指定}
3  \noindent
4  itemize
5  \begin{itemize}
6  \item<2,3> 2と3ページ目に表示
7  \item<1> 1ページ目だけに表示
8  \item 常に表示
9  \item<4> 4ページ目に表示
10 \item<3-> 3ページ目以降に表示
11 \end{itemize}
12
13 \noindent
14 enumerate
15 \begin{enumerate}
16 \item<2,3> 2と3ページ目に表示
17 \item<1> 1ページ目だけに表示
18 \item 常に表示
19 \item<4> 4ページ目に表示
20 \item<3-> 3ページ目以降に表示
21 \end{enumerate}
22 \end{frame}
```

第 **10** 章

作画

abcd

作画とは、別に用意してある写真や画像ファイルを張り込む方法（節 3.6 や節 6.2 参照）ではなく、LaTeX の標準環境やパッケージを使ってグラフィックス自体を自分で描画することです。

　専用のグラフィックスソフトウエアで描いたグラフィックスのように自在に描画するためには、高度なパッケージを使いこなす習熟が必要になることがありますが、図 10.1 のような単純な図は比較的容易に（初等幾何の知識と若干の計算が必要ですが）描くことができます。図を作成するための数値や、図中の文言が本文に合わせてその場で修正できる点も LaTeX で作画する利点です。

　この章では、節 10.1 で LaTeX に標準の picture 環境を、節 10.2 以降ではさらに複雑な図を描くことが可能なパッケージ TikZ を利用する作画について紹介します。

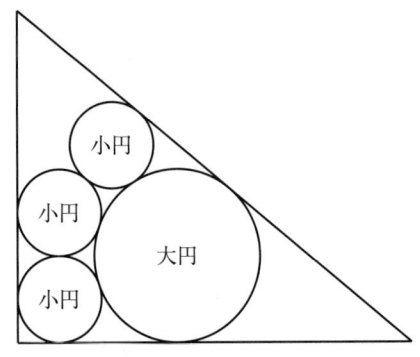

図 10.1 picture 環境を使って描いた図形の例

10.1　picture 環境

picture 環境を使うと、テキスト、直線\line、矢印
\vector、四角形\framebox、円\circle や卵形\oval、ベ
ジェ曲線\qbezier（および\cbezier）などからなる図形
を描くことができます。

10.1.1　描画領域と位置指定

LaTeX では、本文内に張り付いた形で存在する描画のため
の矩形領域をスクリーンと考え、picture 環境で配置され
る図形要素の位置は図 10.2 に示した**ワールド座標系**を使っ
て指定します。ワールド座標の目盛とスクリーンの大きさ
の測り方は同じですが、スクリーン領域がワールド座標系の
どこからどこまで広がっているかをオプションで指定するこ
とができます。

具体的には、次のようにして picture 環境を使って描画
領域を設定します。ここでは、単位長\unitlength を 1mm
（デフォルト値は 1pt）に設定しています。この値は座標目
盛の単位を指定するだけで、フォントの大きさや線種の太さ
を変えることはありません。プリアンブル部でパッケージ
pict2e を読み込んでおくと、任意の傾きを持つ線を描いた
り線種の太さを変更することができます。

```
1  \usepackage{pict2e}
2  ...
3  \setlength{\unitlength}{1mm}
4  \begin{picture}(x,y)(x0,y0)
5  ...
6  描画コマンド
```

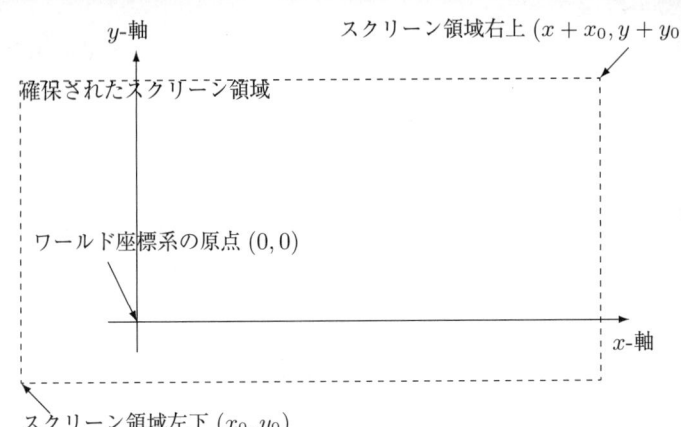

図 10.2 点線で囲んだ大きさが $x \times y$ のスクリーン領域の広がり。ワールド座標系で左下が (x_0, y_0)、右上が $(x + x_0, y + y_0)$。

```
7  ...
8  \end{picture}
```

　\begin{picture}(x,y)(x0,y0) において、(x,y) はスクリーン領域の大きさを水平方向に幅 x、下から上への垂直方向に高さ y と定めています。続く省略可能なオプション (x0,y0) はワールド座標系の原点位置を調整するもので、図 10.2 に示したように、スクリーン領域がワールド座標系で左下位置 (x_0, y_0) から右上位置 $(x + x_0, y + y_0)$ に配置されていると設定します。オプション省略時は $x_0 = 0, y_0 = 0$ とみなされ、ワールド座標系の原点がスクリーン領域の左下になります。

10.1.2　図形要素

　picture 環境で提供される要素を使って作図する具体的

方法は参考文献 [2] の「付録 C」にコンパクトに紹介されており、本書の解説もその説明を参考にしています。

picture 環境内では図形要素を次のようにコマンド\put を使ってワールド座標系の位置 (x_p, y_p) に配置します。描画は確保したスクリーン領域をはみ出しても構いませんが、その仕上がり具合はユーザの責任になります。

```
1  \put(xp,yp){図形要素}
```

picture 環境で利用できる図形要素には、文字列、線分・矢印、円・卵形、四角形、ベジェ曲線があります。

文字列

文字列を座標 (x, y) で指定した基準点に書き出すには次のようにします。文字列にはインライン数式を含めても構いません。

```
1  \put(x,y){文字列}
```

線分 \line と矢印 \vector

線分は\line、矢印は\vector を使って次のように描きます。矢印は↗のように終点に矢尻がついており向きを表す際には重宝します。

```
1  \put(x0,y0){\line(xd,yd){x_s}}
2  \put(x0,y0){\vector(xd,yd){x_s}}
```

ここで、(x_0, y_0) は始点のワールド座標、(x_d, y_d) は傾きを y_d/x_d と定める方向成分で、線分と矢印は始点 (x_0, y_0) から終点へ向かって描かれます。

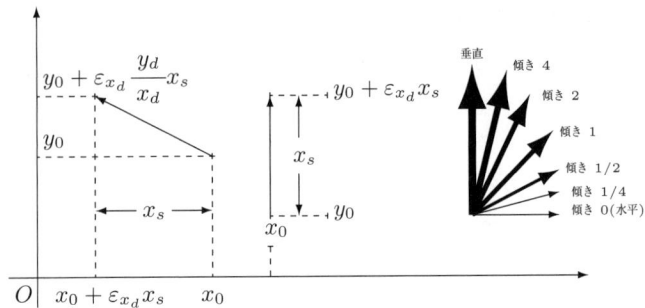

図 10.3 矢印を描く \put(x_0, y_0){\vector(x_d, y_d){x_s}}

値 $x_s(\geq 0)$ は始点から終点までの x 方向の増分（y-軸に平行な線を描く場合は y 方向の増分）を定めます。x_s は線分の長さではないことに注意してください。

ε_{x_d} を x_d が負 $x_d < 0$ なら -1、ゼロなら 0、正 $x_d > 0$ なら 1 と定めると、図 10.3 で示したように、終点の座標 (x_1, y_1) は次の式で表せます。

$$x_1 = x_0 + \varepsilon_{x_d} \cdot x_s$$

$$y_1 = y_0 + \varepsilon_{x_d} \frac{y_d}{x_d} \cdot x_s$$

この式からわかるように、x-方向成分の正負で定まる値 $\varepsilon_{x_d} = \pm 1, 0$ に応じて終点位置への向きが変わることに注意してください。

特に、水平を描くにはたとえば、

```
1   \put(75,10){\vector(1,0){15}}
```

のように y-方向成分を 0 にして水平の矢印の長さを 15 にすることができます。一方、垂直を描くには、

```
1   \put(40,10){\vector(0,1){20}}
```

のように x-方向成分を 0 にして垂直の矢印の長さを 20 とします（図 10.3（中央））。

　LaTeX 標準の picture 環境では描画可能な線の傾きが限定されています。傾き 1/2 は方向成分 $(2,1)$ と $(4,2)$ のどちらでも同じはずですが後者ではエラーになってしまいます。

　図 10.3（右）のように、任意の傾きを持つ線分や矢印を描くにはパッケージ pict2e をプリアンブル部で読み込んでおく必要があります（ただし、pict2e では破線や楕円などは提供されていません）。

　線種の太さも \linethickness{3pt} のようにサイズ単位（pt はポイント数）を指定して変更することができます（デフォルト値 0.4pt）。また、\thinlines で太さ 0.4pt、\thicklines で太さ 0.8pt にすることができます。picture 環境内で太さを指定すると以降に描画されるすべての線種に適用されるため、その後の線種の太さの調整が必要となる場合があります。

円 \circle、長方形 \framebox、卵形 \oval

　円は中心座標 (x_c, y_c) と直径を定めて\circle で描きます。\circle*と*を付けると塗りつぶされた円盤になります。

　長方形は矩形の対角位置 (x_0, y_0) と $(x_0 + \text{width}, y_0 + \text{height})$ を次のように指定して\framebox を使うと枠線を

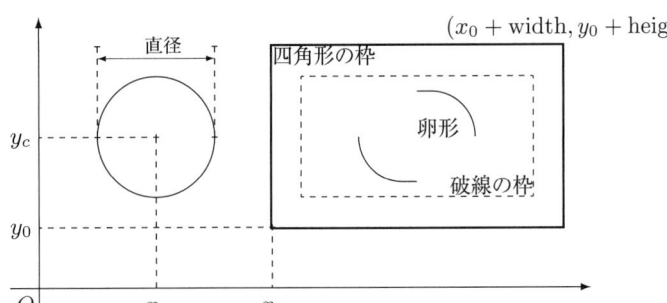

図 10.4 円\circle、実線枠\framebox、破線枠\dashbox と卵形\oval

線で、\dashbox を使うと枠線を破線で描きます。

同様にして、\oval は四隅を四分円にした卵形を描きます。

```
1  \put(xc,yc){\circle{直径}}% 円
2  \put(xc,yc){\circle*{直径}}% 円盤
3  \put(x0,y0){\framebox(width,height)[位置]{内容}}
4  \put(x0,y0){\dashbox(width,height)[位置]{内容}}
5  \put(x0,y0){\oval(width,height)[位置]{内容}}
```

四角形の指定において、**内容**は枠内に配置される文字列で（何も書かないときには{ }と空白にします）、その枠との位置関係を**位置**として t 上寄せ、b 下寄せ、l 左寄せ、r 右寄せの組み合わせで指定します。

卵形\oval の指定において、位置は四分円のどれを描くかを t 上半分を描写、b 下半分を描写、l 左半分を描写、r 右半分を描写の組み合わせで描くことができます。[tr] と指定すると卵形の中心から第一象限だけが描かれます。

図 10.4 では、中心が $(20, 25)$ にある直径 20 の円を

```
1  \put(20,25){\circle{20}}
```

として、位置 $(40,10)$ にある幅 50 高さ 30 の実線枠を

```
1  \put(40,10){\framebox(50,30)[tl]{四角形の枠}}
```

として描いています。文字列 '四角形の枠' が枠内の左上に位置していることに注意してください。パッケージ pict2e を読み込んでいるので、\thicklines で太く（0.8pt）描いてから、その後 \thinlines で元の太さ（0.4pt）に戻して破線を

```
1  \put(45,15){\dashbox(40,20)[br]{破線の枠}}
```

として描いています。

　パッケージ pict2e は破線の線分は提供していませんが、\dashbox を使い、高さを 0 または幅を 0 として水平・垂直の破線を描くことができます。

```
1  \put(0,25){\dashbox(20,0){}}
```

は y-軸上の位置 $(0,25)$ から円の中心 $(20,25)$ まで長さ 20 の水平破線を、

```
1  \put(20,0){\dashbox(0,25){}}
```

は x-軸上の位置 $(20,0)$ から円の中心 $(20,25)$ まで長さ 25 の垂直破線を描きます。

　図 10.4 では、位置 $(65,25)$ にある幅 20 高さ 15 の卵形の第一象限だけを

```
1  \put(65,25){\oval(20,15)[tr]{卵形}}
```

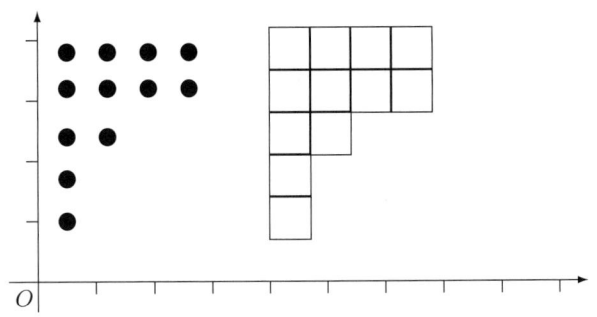

図 10.5 \multiput を使った整数 12 のヤング図 $D_{(4,4,2,1,1)}$

で、第三象限を

```
\put(65,25){\oval(20,15)[bl]{}}
```

で描きました。

繰り返して配置する \multiput

picture 環境では、図形要素を開始位置 (x_0, y_0) から方向 (d_x, d_y) に繰り返し移動させて得られる n 個の図形を配置するコマンド \multiput が用意されています。

```
\multiput(x0,y0)(dx,dy){n}{図形要素}
```

このとき、k が 0 から $n-1$ まで変化した n 個の図形

```
\put(x0+kdx, y0+kdy){図形要素}
```

が描かれます。

図 10.5 では\multiput を使って、整数 12 の分割

216

$(4, 4, 2, 1, 1)$ の分割図 $D_{(4,4,2,1,1)}$ を 2 通りに示しました (不要ながらも、目盛を振った座標軸も描いてあります)。

　整数 n の分割とは、すべて足すと n になるようないくつかの自然数を大きい順に並べた組です。たとえば、組 $(3, 1, 1, 1)$ は大きい順に並んで $3 + 1 + 1 + 1 = 6$ となるので整数 6 の分割の一例です。4 の分割は、$4,\ 3 + 1,\ 2 + 2,\ 2 + 1 + 1,\ 1 + 1 + 1 + 1$ の 5 通りがあるので 4 の分割の仕方の総数 $p(4)$ は 5 になります (n の分割の総数 $p(n)$ は組み合わせ論の興味深い研究対象です)。

　図 10.5 の左側にあるように円盤を並べた分割図をフェラーズダイアグラム (Ferrers diagram)、右側の正方形を並べた分割図をヤング図 (Young tableau) と呼ぶことがあります。

　図 10.5 は picture 環境を使って、次のように書いています。

```
1  \setlength{\unitlength}{0.8mm}
2  \begin{picture}(100,50)
3  \put(-4,-4){$O$}%原点 O
4  \put(0,-5){\vector(0,1){50}}% x-軸
5  \put(-5,0){\vector(1,0){100}}% y-軸
6  % 目盛
7  % x軸にそって長さ 3の目盛
8  \multiput(10,-2)(10,0){9}{\line(0,1){2}}
9  % y軸にそって長さ 3の目盛
10 \multiput(-2,10)(0,10){4}{\line(1,0){2}}
11 % 黒丸で描く分割 (4,4,2,1)のFerrers graph
12 \multiput(5,38)(7,0){4}{\circle*{3}}% 1行目
13 \multiput(5,32)(7,0){4}{\circle*{3}}% 2行目
14 \multiput(5,24)(7,0){2}{\circle*{3}}% 3行目
15 \multiput(5,17)(7,0){1}{\circle*{3}}% 4行目
```

```
16  \multiput(5,10)(7,0){1}{\circle*{3}}% 5行目
17  % 分割 (4,4,2,1)のYoung図
18  \multiput(40,35)(7,0){4}{\framebox(7,7)}% 1行目
19  \multiput(40,28)(7,0){4}{\framebox(7,7)}% 2行目
20  \multiput(40,21)(7,0){2}{\framebox(7,7)}% 3行目
21  \multiput(40,14)(7,0){1}{\framebox(7,7)}% 4行目
22  \multiput(40,7)(7,0){1}{\framebox(7,7)}% 5行目
23  \end{picture}
```

ベジェ曲線 \qbezier、\cbezier

picure 環境では曲線も描くことができます。開始点 (x_0, y_0) から点 (x_2, y_2) に到達する 2 次ベジェ曲線\qbezier と、開始点 (x_2, y_2) から (x_5, y_5) に到達する 3 次ベジェ曲線\cbezier（利用にはパッケージ pict2e の読み込みが必要）は次のように使います。途中の点 (x_1, y_1) および (x_3, y_3) や (x_4, y_4) はベジェ曲線の制御点であり、必ずしも曲線が通過する点ではありません。

```
1  \qbezier(x0,y0)(x1,y1)(x2,y2)
2  \cbezier(x2,y2)(x3,y3)(x4,y4)(x5,y5)
```

図 10.6 では、2 次ベジェ曲線を

```
1  \qbezier(20,5)(0,20)(40,40)
```

で、3 次ベジェ曲線を

```
1  \cbezier(40,40)(60,0)(70,50)(90,10)
```

で描いています。

2 次ベジェ曲線は開始点から中間制御点、中間制御点から到達点への直線が、それぞれ開始点および到達点における接

218

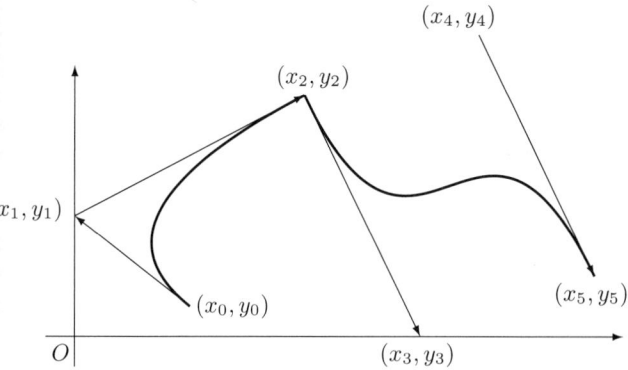

図 10.6 2次ベジェ曲線\qbezier と 3次ベジェ曲線\cbezier

線となっています。

10.2　高機能な作画法 Ti*k*Z/PGF

LATEX 用の描画パッケージ tikz を利用する作画は Ti*k*Z/PGF とも呼ばれ、第9章で取り上げたスライド作成用のパッケージ Beamer が基礎としている描画エンジン PGF（Portable Graphics Format）に基づいた高度な描画機能を持ち、現在では LATEX 上の作画の標準的地位を占めています。そのマニュアル Ti*k*Z & PGF [10]は 1200 ページを超え、高度で柔軟な描画体系を提供しています。ここでは、そのチュートリアルから基本事項を紹介します。

エンジン platex（uplatex）を使って TikZ パッケージを読み込む際には、次のように文書クラスで DVI ドライバ dvipdfmx を指定します。

```
1  \documentclass[dvipdfmx]{jsarticle}
2  \usepackage{amsmath,amssymb}
3  \usepackage{tikz}
4  \usetikzlibrary{positioning, calc, arrows}
```

\usetikzlibrary{ }内には、必要に応じて TikZ で用意されている多彩なライブラリを指定します。この章で紹介する範囲では、ライブラリを指定する必要はありません。

10.2.1 tikzpicture 環境

パッケージ TikZ を使って LaTeX で作画するには tikzpicture 環境内で tikz コマンドを使います。

```
1  \begin{tikzpicture}[環境オプション]
2      tikzコマンド;
3      ...
4  \end{tikzpicture}
```

tikz コマンドの末尾はコマンド 1 つごとにセミコロン ; で終了します (省略はできません)。tikzpicture 環境では描画に必要な範囲は自動的に確保されます。座標 (x, y) の単位は 1cm です。必要に応じて tikzpicture 環境全体にわたるオプションを指定したり、各コマンド内でオプションを渡すことができます。

TikZ&PGF のマニュアル [10]の冒頭の Tutorials and Guidelines の扉に掲げてある次の図は、tikzpicture 環境内で\draw コマンドを使って指定した座標をコーナを丸めてつないで描いています。

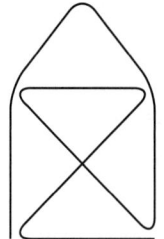

```
1  \begin{tikzpicture}
2  \draw[thick,rounded corners=8pt]
3  (0,0) -- (0,2) -- (1,3.25) -- (2,2)
4  -- (2,0) -- (0,2) -- (2,2) -- (0,0) -- (2,0);
5  \end{tikzpicture}
```

10.2.2　パス構成演算子

先に掲げた一筆描きのような連結曲線や、以下で紹介す
るパス構成演算子などによって生成される描画要素の列を
パス（path）と呼んでいます。\draw は与えたパスを描く
tikz コマンドです。

以下に代表的なパス構成演算子を紹介します。

10.2.3　連続的線分 --

一筆描きのように、現在のパスに連続的線分を追加す
ることができます。パス延長演算子--を使って座標点
$\{(x_i, y_i)\}_{i=0,\dots,k}$ をつないで連続的線分を追加するには次
のように書きます。

```
1  \draw (x0,y0)--(x1,y1)-- ... --(xk,yk)
```

\draw のオプションに rounded␣corners を指定すると

221

曲線コーナーにもできます。

　TikZ では座標点の指定は、直交座標 (x, y) だけでなく、原点からの距離 $r = \sqrt{x^2 + y^2}$ と x-軸からの角度 $\theta = \tan^{-1} y/x$ を使った表記 $(\theta : r)$ による極座標表示も可能です。角度は弧度法（radian）ではなく、度数法（degree）で測ります。

　次の例は、極座標で 30 度から 30 度ずつ増やして 180 度までの長さ 2 cm の位置にある点を結んで\draw オプション thick を付けて太く連続線分を描いています。開始点が角度 30 にある点であることを示す工夫をしていますが、ここではそのコードは示していません。

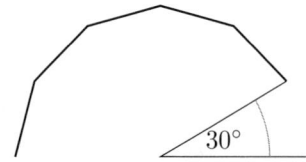

```
1  \begin{tikzpicture}
2  \draw[thick] (30:2cm)--(60:2cm)--(90:2cm)
3           --(120:2cm)--(150:2cm)--(180:2cm);
4  \end{tikzpicture}
```

　実は、tikzpicture 環境を使わずに、コマンド\tikz の引数として TikZ のコマンド群を{ }で括って渡して描画することもできます。

```
1  \tikz {tikzコマンド; ...; }
```

　たとえば、

```
1  原点で直交する 2つの線分パス
2  \tikz{\draw (-0.2,0)--(0.2,0);
```

```
3          \draw (0,-0.2)--(0,0.2);}
4  を描きます。
```

と記述すると、

> 原点で直交する2つの線分パス╋ を描きます。

となります。

　本書でも、文中で簡素に描画を済ませるためなどに\tikz を使うことがあります。

10.2.4　**プロット** plot

　パス延長演算子--と似たパス構成演算子に plot があります。座標点 (x_i, y_i) の並びを次のように plot に対して指定するとそれらをつなぐ連続線分を描きます。

```
1  \draw plot[オプション] coordinates{(x1,y1) (x2,y2)
2                              ... (xn,yn)}
```

　plot にオプション smooth を指定すると滑らかな曲線となります。

　次は、原点 $(0,0)$ から $(2,1)$ を経て極座標 $(10:2\mathrm{cm})$ までをつないだ線分を描いています。

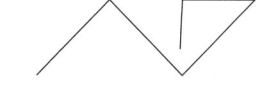

```
1  \begin{tikzpicture}
2  \draw plot coordinates{(0,0) (1,1) (2,0)
3                         (3,1) (2,1) (10:2cm)};
4  \end{tikzpicture}
```

plot には多くのオプションが用意されています。たとえば、polar␣comb は原点から coordinates で並べた各点までを線で結んでくれます。

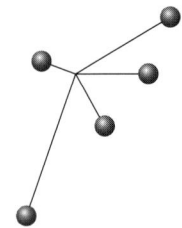

```
1  \begin{tikzpicture}
2  \draw plot[polar comb, mark=ball, ball color=gray,
   mark size=4pt]
3     coordinates {(0:1cm) (30:1.5cm) (160:.5cm)
4                  (250:2cm) (-60:.8cm)};
5  \end{tikzpicture}
```

plot を使うと、節 10.3 で紹介するように関数のグラフを描くこともできます。

10.2.5 円 circle、楕円 ellipse

現在のパスに、円や楕円を追加することができます。

パス構成演算子 circle を使って中心 (x_0, y_0) に指定した半径 radius の円を追加するには次のように書きます。

```
1  (x0,y0) circle [radius=半径]
```

ellipse を使って中心 (x_0, y_0) に指定した x-半径 x␣radius と y-半径 y␣radius の楕円を追加するには次のように書きます（楕円半径の指定では x や y と radius の間に空白␣が入ります）。座標点とは違い、半径や移動距離

の指定には**大きさの単位**が必要です。

```
1  (x0,y0) ellipse [x radius=x半径,y radius=y半径]
```

次の例は、中心 $(0,0)$ に半径 10pt の円、中心 $(0,-1.2)$ に x-半径 12pt、y-半径 8pt の楕円とそれぞれの中心に長さ 1cm の線分で十字も描いています。ここでは、線分要素が 4つ、円と楕円の合計 6つの要素からなるパスを\draw 1つ で描きました（最後にだけ ; が付いています）。

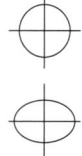

```
1  \begin{tikzpicture}
2  \draw (-0.5, 0)--(0.5, 0)   (0,-0.5)--(0,0.5)
3     (0,0) circle [radius=10pt]
4        (-0.5,-1.2)--(0.5,-1.2)   (0,-1.7)--(0,-0.7)
5     (0,-1.2) ellipse [x radius=12pt,y radius=8pt];
6  \end{tikzpicture}
```

描画要素を追加しながら1つのパスにまとめて draw で描かず、それぞれの要素を別々に draw で描いても同じ結果を得られますが、節 10.2.9 で紹介するように、TikZ ではパスを構成する要素にオプションとして平行移動や回転、縮尺変更などを指定して効率のよい描画をすることが可能です。

10.2.6 **四角形** rectangle

現在のパスに、四角形を追加することができます。パス構成演算子 rectangle を使って、対角位置 (x_0, y_0) から位置

$(x_0 + x_w, y_0 + y_h)$ にわたる幅 x_w、高さ y_h の四角形を追加するには次のように書きます。

```
1  (x0,y0) rectangle (x0+xw,y0+yh)
```

次の例は、原点に長さ 0.2cm の十字をおいて、2 つの四角形を点 $(-0.2, -0.4)$ から幅 1.2cm 高さ 1.6cm の大きさで太く、点 $(0.8, 0)$ から幅 -0.4cm 高さ 1.8cm の大きさで太く破線で描いています。太さと同様に、破線を描くには \draw のオプションとして dashed を指定します。

参考のために、grid を使って $(-0.4, -0.6)$ から $(1.2, 2)$ の範囲に 0.2cm 刻みでグリッド▦も描きました。ごく細い太さを表すオプション very␣thin には空白␣が入ります。

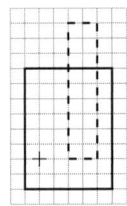

```
1  \begin{tikzpicture}
2  \draw[step=.2cm,gray,very thin]
3                      (-0.4,-0.6) grid (1.2,2);
4  \draw (-0.1,0)--(0.1,0) (0,-0.1)--(0,0.1);
5  \draw [thick] (-0.2,-0.4) rectangle (1,1.2);
6  \draw [thick,dashed] (0.8,0) rectangle (0.2,1.8);
7  \end{tikzpicture}
```

符号+を座標点の前に付けて+(x_r, y_r) とすると、現在のパス参照点 (x, y) からの相対位置座標 $(x + x_r, y + y_r)$ を表します。

　四角形を描くために対角線上の2点を指定する rectangle に、四角形の幅 x_r と高さ y_r を (x_r, y_r) としてこの表記を使ってみたのが次の例です。

　さらに--(参照点の座標); を追加して四角形の対角線を添えました。ここでは、\draw のオプション dotted で点線を描いています。

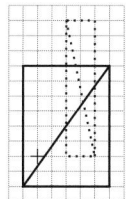

```
1  \begin{tikzpicture}
2  \draw[step=.2cm,gray,very thin]
3                       (-0.4,-0.6) grid (1.2,2);
4  \draw (-0.1,0)--(0.1,0) (0,-0.1)--(0,0.1);
5  \draw[thick] (-0.2,-0.4) rectangle +(1.2,1.6)
6      --(-0.2,-0.4);
7  \draw[thick,dotted] (0.8,0) rectangle +(-0.4,1.8)
8      --(0.8,0);
9  \end{tikzpicture}
```

10.2.7　弧 arc

　現在のパスに円弧や楕円弧を追加することができます。パス構成演算子 arc を使って、ある半径を持つ円周上（または x-半径と y-半径を持つ楕円周上）の始点 (x_0, y_0) から終了角度 end␣angle で定まる終点まで弧を追加するには次のように書きます（角度指定では start や end と angle との間に空白␣が入ります）。角度の単位は度で、角度指定に

単位を付ける必要はありません。

```
(x0,y0) arc[start angle=開始角, end angle=終了角,
                            radius=半径]% 円弧
(x0,y0) arc[start angle=開始角, end angle=終了角,
          x radius=x半径, y radius=y半径]% 楕円弧
```

ここで注意しておくことは、(x_0, y_0) は円や楕円の中心位置ではなく、弧の始点位置であることです。この (x_0, y_0) は、別の点に中心を持つ指定半径の円（または楕円）上にあり、その中心から引かれる x-軸に平行な水平線から角度 start␣angle に位置しています。

実際に弧を描いて確かめてみましょう。次は、原点 $(0, 0)$ に中心を持つ半径 $1/\sqrt{2}$cm の円周上の点 $(1/2, 1/2)$（中心から 45 度の位置にある）から正味 270 度回転した終了角 315 度までの弧を極太（very␣thick）に描き、また同じ位置で開始角 0 度から終了角 270 度までの円弧も描いています。\filldraw で円を灰色に小さく塗りつぶして開始点 $(1/2, 1/2)$ を示しました。LaTeX は $1/\sqrt{2}$ のような計算が苦手です。ここでは、浮動小数として近似値 0.707 を直接与えています。

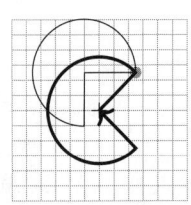

```
\begin{tikzpicture}
\draw[step=.2cm,gray,very thin]
                (-1.2,-1.2) grid (1.2,1.2);
```

```
4  \draw (-0.1,0)--(0.1,0) (0,-0.1)--(0,0.1);
5  \filldraw [gray] (1/2,1/2) circle [radius=2pt];
6  \draw [very thick,->] (0,0) --
7      (1/2,1/2) arc [start angle=45,end angle=315,
8                              radius=0.707cm]
9      -- (0,0);
10 \draw (-0.2,1/2) --
11      (1/2,1/2) arc [start angle=0,end angle=270,
12                              radius=0.707cm]
13      --cycle;
14 \end{tikzpicture}
```

　この例では、arc の使い方を理解しやすいように、それぞれの円に中心からパス延長演算子--を使って円弧の始点までの直線、円弧の終点から再び円の中心までの直線もあわせて描いています。

　\draw オプションに thick を付けて太く描いた線では、パスの終点に向けた**矢印を描く**ためにオプション->も付けました。

　\draw オプションには、パスの始点に反対方向の矢印を付ける <- とパスの両側に付ける <-> もあります。

　--cycle は現在の最終点を開始点につないだ (閉じた) パスとすることを意味します。閉じたパスでは矢印オプションを付けても無効です。

10.2.8　**曲がった線を描く** ..controls ..

　現在のパスに曲線を追加することができます。始点 (x_b, y_b) から終点 (x_e, y_e) までの曲線をパス構成演算子..を使って controls で指定した 2 つの制御点 (x_1, y_1) と (x_2, y_2) を指定して追加するには次のように書きます。連

続ドット .. は始点後と終点前の 2 ヵ所で使われています。

```
1  \draw (xb,yb) .. controls (x1,y1) and (x2,y2)
2                                    .. (xe,ye)
```

　曲線は始点 (x_b, y_b) と終点 (x_e, y_e) における接線が、それぞれ始点 (x_b, y_b) から最初の制御点 (x_1, y_1) および 2 番目の制御点 (x_2, y_2) から終点 (x_e, y_e) を結ぶ線分に一致するように滑らかに描かれます。

　次の例は始点から終点への曲線に、制御点がどのように利用されているかを示しています。曲線の決定に関与するこれら 4 つの点のまわりに小さな円を描き、線分で結んで曲線の接線の様子を示しました。

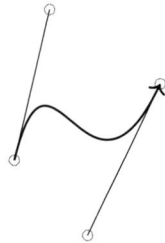

```
1  \begin{tikzpicture}
2  \draw [gray] (0,0) circle [radius=2pt]
3               (0.5,2) circle [radius=2pt]
4               (1,-1) circle [radius=2pt]
5               (2,1) circle [radius=2pt];
6  \draw[thick,->]
7     (0,0)..controls (0.5,2) and (1,-1)..(2,1);
8  \draw [thin] (0,0)--(0.5,2) (1,-1) -- (2,1);
9  \end{tikzpicture}
```

10.2.9 座標変換

\draw のオプションには、TikZ で描画する座標位置（と
それに付随する図形要素) を変換するオプションがあります。

xshift、yshift はそれぞれ座標位置を指定した距離（大
きさ単位が必要）だけ x または y 方向に平行移動、rotate
は座標位置を原点を中心に指定した角度（単位不要）だけ回
転します。xscale、yscale、scale は指定した座標位置の
x または y 方向あるいは全体のスケール尺度を変更します。
\draw 内でこれらのオプションが指定されると、それ以降
のパス要素がその影響を受けます。

次の例では、四角形からなるパスにおいて2つの長方形の一
方を45度回転して描いています。$(-1/2, 0)$ から $(-1/2, 1)$
への線分は、x 方向に 2cm、y 方向に -0.5cm だけ平行移
動され、yscale が $-1/2$ と y 方向に上下が入れ替わり大き
さが半分になった線分に移って描かれています（わかりやす
いようにパス終点に矢印をつけました)。

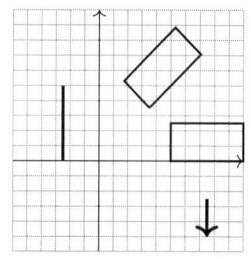

```
1  \begin{tikzpicture}
2  \draw[step=.2cm,gray,very thin]
3                        (-1.2,-1.2) grid (2,2);
4  \draw[->] (-1.2, 0)--(2,0);
```

```
5   \draw[->] (0,-1.2)--(0,2);
6   \draw[thick] (1,0) rectangle +(1,0.5)
7       [rotate=45] (1,0) rectangle +(1,0.5);
8   \draw [->,very thick] (-1/2,0)--(-1/2,1)
9       [xshift=2cm,yshift=-.5cm,yscale=-1/2]
10                (-1/2,0)--(-1/2,1);
11  \end{tikzpicture}
```

10.2.10　要素の繰り返し \foreach

コマンド\foreach を使うと、tikz コマンドを繰り返し適
用することができます。値のリスト $\{\mathrm{val}_1, \mathrm{val}_2, \ldots, \mathrm{val}_k\}$
から順番に値を取り出して変数\val に代入して tikz コマン
ドを反復するには次のように書きます。

```
1   \foreach \val in {val1,val2,...valk} tikzコマンド;
```

次の例は、x-軸と y-軸に長さ 0.2cm の目盛を間隔 1cm で
付ける様子を示しています。x-軸目盛用の変数\xtick の値
の範囲を $\{0, 1, 2, 3, 4\}$ で、y-軸目盛用の変数\ytick の値
の範囲を $\{0, 1, 2, 3, 4, 5, 6, 7\}$ で定めて目盛線を引きました。
このとき、テキストを配置するためにパス構成演算子 node
を使って変数の値を数式モードで\small の大きさで添えま
した（節 10.2.11）。さらに tikzpicture 環境で全体を 0.4
倍するオプション scale=0.4 を指定して描画を縮小してい
ます。

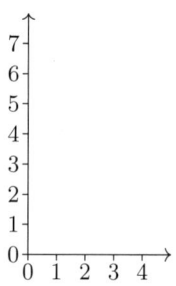

```
1  \begin{tikzpicture}[scale=0.4]
2  \draw[->] (0,0)--(5,0);
3  \draw[->] (0,0)--(0,8);
4  \foreach \xtick in {0,1,2,3,4}
5     \draw[thin] (\xtick,-.2)--(\xtick,0)
6           node[anchor=north] {{\small $\xtick$}};
7  \foreach \ytick in {0,1,2,3,4,5,6,7}
8     \draw[thin] (-.2,\ytick)--(0,\ytick)
9           node[anchor=east] {{\small $\ytick$}};
10 \end{tikzpicture}
```

10.2.11　テキストを配置する node

　現在のパスにテキストを配置した要素を追加することができます。LaTeX のテキストを指定した位置 (x_0, y_0) に配置するにはパス構成演算子 node を使って次のように書きます。

```
1  (x0,y0) node[オプション] {LaTeXテキスト}
```

　オプションには参照点に対するテキストの配置位置 above（上方）、below（下方）、left（左方）right（右方）との組み合わせ（below,left）などが指定できます。

233

次の例は、tikz コマンド\coordinate で座標位置をラベル名（名称）で使えるように定義し、四角形の始点（L_Left）と終点（U_Right）位置にテキストをそれぞれの参照点に対して下方左および上方に配置した様子を表しています。

Upper Right

Lower Left

```
1  \begin{tikzpicture}
2  \coordinate (L_Left) at (1,.5);
3  \coordinate (U_Right) at (2,2.5);
4  \draw (L_Left) rectangle (U_Right)
5      (L_Left)--(U_Right)
6      (L_Left) node[below,left] {Lower Left}
7      (U_Right) node[above] {Upper Right};
8  \end{tikzpicture}
```

　node オプションには、次のようにパス構成演算子 .. controls で指定された 2 点間の曲線に対してテキストを添える位置指定 near␣start、very␣near␣end や、テキストを曲線の傾きに沿わせる sloped も用意されています。オプション指定がなければテキストは線分上に配置されます。

```
1  \begin{tikzpicture}
2  \draw[thick,->]
3      (0,0) .. controls (0.5,2) and (1.5,-2) ..
4      node[near start,sloped,above] {開始近く}
5      node {中間}
6      node[very near end,sloped,below]
7          {終点間際} (2,1);
8  \end{tikzpicture}
```

10.3　関数のグラフを描く plot 再び

節 10.2.4 で紹介したパス構成演算子 plot は指定した関数 $f(x)$ のグラフを描くときにも使うことができます。TikZ で使える関数の一部を表 10.1 に掲載しました。

plot は、coordinate を使ってプロットデータを指定する代わりに、変数（variable）と区間（domain）を次のように与えて関数のグラフをプロットできます。

\x を変数とし、区間 $[-5, 5]$ を domain=-5:5 で指定した関数 f のグラフを（標本数 samples=25 で生成して）描くには次のように書きます。

```
1  \draw plot [domain=-5:5, samples=25] (\x,{f(\x)});
```

ここで注意することは、LaTeX で記述された文字列の組

表 10.1 TikZ で使える関数（一部）

関数族	関数名称
四則演算	+ - * /
整数計算	mod Mod gcd
	round floor ceil int
実数	real frac
基本定数	pi e
平方根	sqrt
指数関数	exp
対数関数	ln log10 log2
弧度変換	rad deg
三角関数	cos sin tan acos asin atan atan2
	cosh sinh tanh
ベキと階乗	pow(^) factorial(!)
乱数	rnd rand random
論理	and or not(!) ifthenelse true false
	isodd iseven isprime
大小関係	equal(==) less(<) greater(>)
	notless(>=) notgreater(<=)
その他	min max veclen array

版処理の前に変数\x における関数値を計算するために、括弧{}で括って{f(\x)}としていることです。座標位置の指定でも、({2*cos(30)},{sin(30)}) のように書くことができます。

次の例は、関数 f として $x, \sin 2x, \frac{1}{20}\mathrm{e}^x$ を同じスケールで描いています。ここでは tikzpicture 環境のオプション domain=0:4 を使って区間を $[0, 4]$ としています。

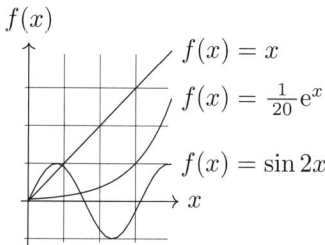

```
1  \begin{tikzpicture}[scale=0.5,domain=0:4]
2  \draw[very thin] (-0.1,-1.1) grid (3.9,3.9);
3  \draw[->] (-0.2,0) -- (4.2,0)
4          node[right] {$x$};
5  \draw[->] (0,-1.2) -- (0,4.2)
6          node[above] {$f(x)$};
7  \draw plot (\x,\x)
8          node[right] {$f(x)=x$};
9  % \x r は'\x'を度からラジアンに変換
10 \draw plot (\x,{sin(2*\x r)})
11         node[right] {$f(x)=\sin 2x$};
12 \draw  plot (\x,{0.05*exp(\x)})
13         node[right]
14         {$f(x)=\frac{1}{20}\mathrm e^x$};
15 \end{tikzpicture}
```

　引数を持つ関数を定義してからプロットすることもでき
ます。次では、\draw のオプションで関数宣言 declare
function によって sines(t, a, b) を定義し（最後に ; が付き
ます）、区間 $[0, 360]$ を標本点を 144 として関数をプロット
しました。

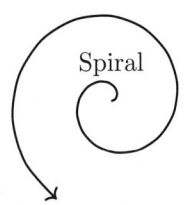

```
1  \begin{tikzpicture}
2  \draw [help lines] (0,0) grid (3,2);
3  \draw [thick, x=0.0085cm, y=1cm,
4  declare function={
5  sines(\t,\a,\b)=
6     1 + 0.5*(sin(\t)+sin(\t*\a)+sin(\t*\b));
7  }]
8  plot [domain=0:360, samples=144, smooth]
9        (\x,{sines(\x,3,5)}); \end{tikzpicture}
```

また、plot は、パラメータ表示された曲線—たとえば極座標 $(r,\theta) = (t\sin tr, t\cos tr)$ で定まる螺旋—を描くこともできます。

Spiral

```
1  \begin{tikzpicture}
2  \draw[->, thick,domain=0:3,smooth,variable=\t]
3    (0,0) node[above=.2cm] {Spiral}
4    plot ({200*\t:0.5*\t});
5  \end{tikzpicture}
```

238

第 11 章

さらに進んだ使い方

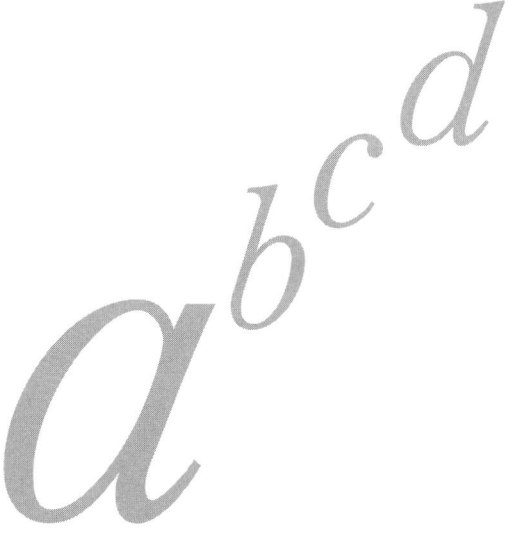

ここまで本書を読んできた読者のみなさんは数式や図表を含んだ LaTeX 文書の作成方法がおおむね把握できたのではないでしょうか。この章では本書を読んで、さらに LaTeX を使いこなしたいと感じている方々に向けて、いくつかの進んだ話題を紹介しておきたいと思います。

　本書では必要な入力をすべて自分で行うことを前提としていましたが、入力に必要なデータの計算や出力を他のシステムに委ねる方法があります。その例として数式処理システムとプログラム言語の利用を取り上げてみます。

11.1　数式処理システムの活用

　数式処理システムとは記号計算システムとも呼ばれ、数値計算だけでなく代数や組み合わせおよび解析における計算を行うコンピュータソフトウエアの総称です。たとえば数の計算 $\frac{1}{2} + \frac{1}{3}$ を小数 0.833333 ではなく $\frac{5}{6}$ と分数のまま計算したり、$(x + y)^2$ を展開して $x^2 + 2xy + y^2$ と表したり、$\sum_{k=0}^{n}(a + k)^2$ を数式として求めることができるソフトウエアです。

　平面グラフに関する 4 色問題の証明 (K. Appel and W. Haken,1976 年) や 3 次元空間における球充塡に関するケプラー予想の証明（T. Hales, 1998 年）では数学の証明自身が数式処理システムの処理結果に基づいており、コンピュータ利用の可能性を拡大しました。今日では数式処理システムは多くの研究を支えるまでになっています。

11.1.1 SageMath

SageMath https://www.sagemath.org は、さまざまな専門分野で研究開発されてきた数式処理システムをプログラミング言語 Python で統合し、使いやすいインターフェースと供に提供するオープンソースの数式処理システムです。

SageMath では出力結果をグラフィックスだけでなく LaTeX 形式でも書き出すことができ、LaTeX を使った文書作成において各種の計算と数式入力とが同時に達成できることになります。

SageMath はパソコンにインストールして利用することもできますが、CoCalc https://cocalc.com が提供するクラウドサービスによって Sage Worksheet としてブラウザから利用することができます。SageMath の実際の使い方は参考文献 [11] に具体的に詳しく紹介されています。

図 11.1 は Sage Worksheet の様子です。1 行目から 9 行目は代数方程式の解を求めた結果を表示し、11 行目から 15 行目では三角関数 $\sin x$ の導関数を計算しています。17 行目では ds4 に $\sin x^2$ の 4 階微分結果を代入し、23 行目でその LaTeX 表現を latex(ds4) によって出力しています。結果をそのまま組版すると次のようになります。

$$16\,x^4 \sin\left(x^2\right) - 48\,x^2 \cos\left(x^2\right) - 12 \sin\left(x^2\right)$$

SageMath では高度な数学計算の利用が可能です。判別式 $\Delta_E = 4a^3 + 27b^2 \neq 0$ を満たす a, b について

$$E: \quad y^2 = x^3 + ax + b, \quad a, b \in \mathcal{K}.$$

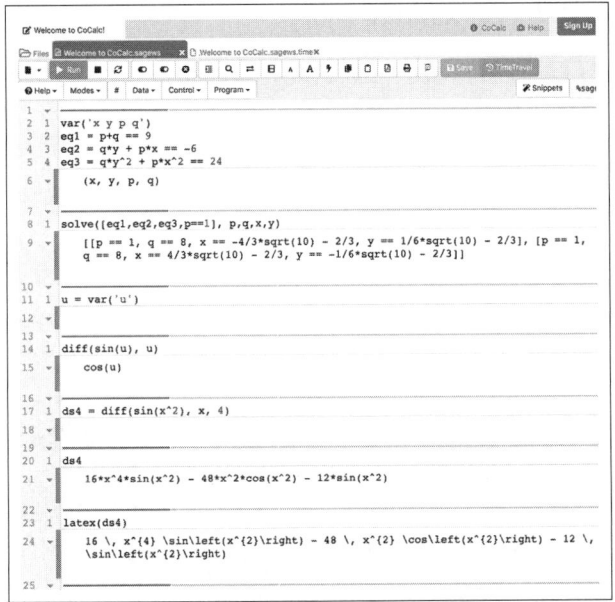

図 11.1 Sage Worksheet の様子

を満たす集合をワイエルシュトラスの楕円曲線といいます。SageMath を使うと $a = -5, b = 4$ の楕円曲線を EllipticCurve([-5,4]) によって与えることができます。

楕円曲線の式を満たす点 (x, y) の値を制限して、要素 x, y が素数 p で定まる有限体 $\mathbb{F}_p$（またはガロア体 $\mathrm{GF}(p)$ とも表記）— 0 から $p-1$ までの数の集合 $\{0, 1, \ldots, p-1\}$ の要素同士の計算を p を法とする剰余計算で行う— の要素である場合を考えることができます（係数も $a, b \in \mathbb{F}_p$ で考えます）。

$p = 37$ としたとき、SageMath ではこの有限体 $\mathbb{F}_{37}$

を GF(37) で表します。さらに、有限体上の楕円曲線も EllipticCurve(GF(37), [-5,4]) で与えることができます。有限体上の楕円曲線 dE を点集合として SageMath を使って簡単にプロットできます。その様子を図 11.2 に示しました。

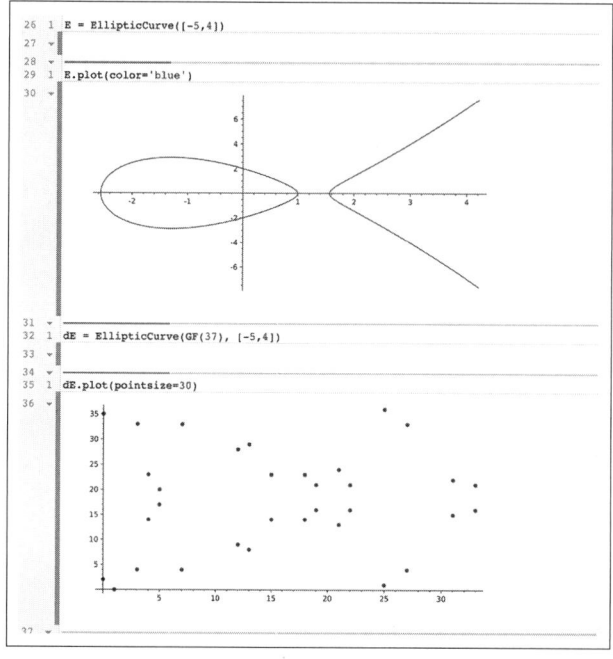

図 11.2 $a = -5, b = 4$ とした楕円曲線

11.1.2 SageMath のコマンドと出力を LaTeX に埋め込む

SageMath をクラウドサービスでなくパソコンにインストールした場合には、SageMath システムに SageTeX パッケージファイル sagetex.sty が同梱されます。このファイルをパソコンの LaTeX システムが認識できるように設定すると、SageTeX として SageMath のコマンド及びその出力結果（グラフィックスも含む）を自動的に LaTeX 文書に張り込むことができます（ただし節 7.3 の索引の作成のときのようにひと手間の処理が必要になります）。

sageblock 環境内に SageMath コードを記述すると、節4.5 の verbatim 環境のように LaTeX は入力通りに組版するだけでなく、その実行結果を文書に挿入することができます。

たとえば LaTeX ファイル内において\sage{foo}と書くと、SageMath で foo を実行した結果の LaTeX 表現が文書に挿入されます。\sageplot は、SageMath によるグラフィックス出力を文書に張り込みます。

このようにして、パソコン上の SageMath システムとその LaTeX パッケージ SageTeX との組み合わせによって、参考文献 [11]のような数式処理システムを使った本格的な書籍を書くことができます。

11.2 文書内にプログラムコードを埋め込む

データ解析とその可視化を取り扱う文書の作成において

は、本書で取り扱った範囲を超えた別種の課題が浮上します。データ解析を含む文書では解析結果だけでなく、データ自身およびデータをどのように取り扱って結果を得たのかという方法の双方が提供されるべきだという考えが浸透してきました。

　文書を発表した著者だけでなく読者もまたその状況や結果を再現・検証できることが科学の発展を支えてきました。今日では取り扱うデータが膨大となり、研究成果報告だけではその正当性を検証することが困難になってきたのです[*1]。

　実際、文書作成の過程において、利用したデータセットが変更されたときや分析コードを修正した場合には、文書で使われた表や図はその都度すべて書き直し、張り込み直す必要があります。こうした作業を何度も続けると、元のデータセットと分析コードそして文書における図表との整合を維持することが困難となり、結果的に再現可能性を失ってしまいやすくなります。

　TEX の創始者クヌースは著書『文芸的プログラミング』において、「われわれの主な仕事がコンピュータに何をさせるかを命令することだと思わずに、人間に対してコンピュータに何をしてほしいかを説明することに集中すべきである」[*2] と

[*1] 科学研究における再現可能性の問題は、米国科学アカデミー（NAS）でも21 世紀の科学の課題としています。*Reproducibility and Replicability in Science*(2019) https://www.nap.edu/catalog/25303/reproducibility-and-replicability-in-science では、研究成果の再現性は透明性と強く関連しており、他の人が研究結果を再現して確認できるように研究のデータとコードが利用可能でなければならないと報告しています。

[*2] D. Knuth『文芸的プログラミング』アスキー（1994 年）、第 4 章p.135。

して WEB と呼ぶシステムによって TeX および METAFONT を記述しました。WEB では、従来のプログラム言語の記述中に説明コメントが書かれているのとは対照的に、ある意図を説明する文章の中にプログラムが埋め込まれています。こうした方向に沿った書籍作成のあり方として BOOKDOWN https://bookdown.org があります。

節 11.1.2 の数式処理システム SageMath に基づいた SageTeX の利用は、その取り組みのひとつだということができます。

ここではさらに踏み込んだ取り組みの例として、プログラミング言語のコードを LaTeX ファイル内で実行し、その力出を取り込む方法を紹介します。

11.2.1　R コードを埋め込む

クヌースの WEB システムの現代版として、プログラミング言語 R とそのライブラリパッケージ knitr を使った動的レポート作成の方法があります。参考文献 [12, 13]はその方法を解説しています。

日本語 LaTeX 文書において R コードを埋め込む具体的な方法をまとめてみましょう。必要な環境は次のとおりです。

- LaTeX システムで xelatex または lualatex が使える。
- プログラミング言語 R が実行可能で、パッケージ knitr がインストールされている。

クラウドサービスとして LaTeX と R 環境を利用するには

Overleaf https://ja.overleaf.com を利用できます [*3]。

　文書ファイル内で実行されるプログラムコードを、**コードチャンク**（code chunk）と呼ぶブロックで表します。LaTeX スタイルで書く場合には、チャンクヘッダ行 <<ラベルやオプション>>= とチャンク終了行 @ で挟まれた行内にコードを記述します。コードチャンクの前後を空行にします。このファイルを Rnoweb ファイルといい通常、拡張子 .Rnw を使いますが、Overleaf では https://ja.overleaf.com/learn/latex/Knitr にあるように拡張子 .Rtex を使います。

　Overleaf を使ってコードチャンクを埋め込んだ日本語 LaTeX 文書を作成するファイル main.Rtex を次に示しました。

　ここでは、(u)platex 以外のエンジンを利用するために、lualatex 専用の論文スタイル ltjsarticle（本書で一貫して利用してきた「日本語新ドキュメントクラス」から (u)platex 依存部分を分離したもの）を使いました。bxjsarticle クラスを使う場合には、利用するエンジンと日本語文章の標準設定を利用するためのオプション指定 [xelatex,ja=standard] または [lualatex,ja=standard] が必要です。

　metalogo パッケージは \XeLaTeX と書いて XeLaTeX を、\LuaLaTeX と書いて LuaLaTeX を組版するために読み込みました。

```
1  \documentclass{ltjsarticle}
2  \usepackage{metalogo}% \XeTeX,\LuaLaTeXのロゴ
3
4  \title{OverleafでR+knitrを使う}
```

*3 現在のところ Cloud LaTeX では、R 環境を使うことができません。

```
5   \author{青葉 楠}
6   \date{2020年 10月 10日}
7
8   \begin{document}
9   \maketitle
10
11  \section{プロジェクトでの準備}
12  「メニュー」から [コンパイラ]を\XeLaTeX{}用にXeLaTeXま
    たは\LuaLaTeX{}用にLuaLaTeXを選び、[Font Family] を
    「Monaco」に設定する。
13
14  \section{コードチャンクを使う}
15  R言語を使って平均値 0、標準偏差 1の正規分布に従う点を 1万
    点発生させて、そのヒストグラムを描いてみる。
16
17  <<mean>>=
18  set.seed(42)
19  x <- rnorm(10000)
20  mean(x)
21  @
22
23  平均値は$\Sexpr{mean(x)}$である。
24
25  <<histgram, fig.height=1.5, fig.width=4, fig.align
     = 'center', fig.cap = '正規分布に従う 10000点のヒスト
    グラム'>>=
26  par(mar = c(3,3,1,1))
27  hist(x, probability = TRUE, main="")
28  curve(dnorm(x), add = TRUE)
29  @
30  \end{document}
```

　図 11.3 に main.Rtex を Overleaf で組版した出力を示し
ました。コードチャンクでは、1 万個の乱数を生成して x に
代入してその平均値を計算し、そのヒストグラムを描かせて

います。これらの計算は組版と同時に R 言語環境で実行されます。

Overleaf で R+knitr を使う

青葉 楠

2020 年 10 月 10 日

1　プロジェクトでの準備

「メニュー」から [コンパイラ] を X∃LⁱTEX 用に XeLaTeX または LuaLaTeX 用に LuaLaTeX を選び、[Font Family] を「Monaco」に設定する。

2　コードチャンクを使う

R 言語を使って平均値 0、標準偏差 1 の正規分布に従う点を 1 万点発生させて、そのヒストグラムを描いてみる。

```
set.seed(42)
x <- rnorm(10000)
mean(x)
```

```
## [1] -0.01130945
```

平均値は −0.0113004 である。

```
par(mar = c(3,3,1,1))
hist(x, probability = TRUE, main="")
curve(dnorm(x), add = TRUE)
```

図 1　正規分布に従う 10000 点のヒストグラム

1

図 11.3　Overleaf で `main.Rtex` を組版したページ

11.2.2 Python コードを埋め込む

LaTeX に R 言語以外のプログラミング言語を埋め込むことも可能です。このとき、R コードを埋め込んだ LaTeX を処理する場合にも利用できる、プログラミング言語 R の統合環境である RStudio を利用すると便利です（R 言語環境が必要です）。

RStudio を使って埋め込んだ Python コードを LaTeX ファイル内で実行するためには、まず次のようにパソコン環境を整えておきます。

- パソコンに LaTeX システムおよび Python スクリプトの実行環境を整える。
- RStudio にパッケージ knitr および reticulate をインストールする。

また RStudio の設定で、LaTeX スタイルで記述した Rnoweb ファイル（拡張子 .Rnw）を処理するために knitr と XeLaTeX を選択しておきます。

以下に示した Rnoweb ファイル lorenz.Rnw では、最初にコードチャンク setup によって Python コードの実行に必要な R ライブラリパッケージ knitr と reticulate を読み込み、Python の実行パスを指定します。その後に、目的の Python コードを含んだコードチャンク Lorenz を記述しています。

Rnoweb ファイル lorenz.Rnw を RStudio で読み込んで、コンパイル処理を行うと、LaTeX で組版された PDF ファイルが得られます。

　図 11.4 で示したように、Python コードで常微分方程式の数値解を計算し、その軌道を 3 次元プロットした画像が張り込まれています（このファイルでは画像の張り込みが LaTeX コマンドを使わずに行われるため、LaTeX でおなじみのパッケージ graphicx を読み込む必要はありません）。

```
1   \documentclass[xelatex,ja=standard]{bxjsarticle}
2
3   \title{RStudi+knitrでPythonコードを埋め込む}
4   \author{青葉 楠}
5   \date{2020年 10月 10日}
6
7   \begin{document}
8   \maketitle
9
10  \section{Rパッケージを読み込む}
11  <<setup, include=FALSE>>=
12  library(knitr)
13  library(reticulate)
14  py_discover_config()
15  reticulate::use_python("/usr/local/var/pyenv/shim
    s/python", required = TRUE)
16  py_config()
17  @
18
19  \section{Pythonコードの埋め込み}
20  Pythonモジュール NumPy、Matplotlib、 SciPyなどをコード
    の実行に必要なモジュールをインポートしたPythonコードを埋
    め込む。
21  ここでは、Lorenz方程式の数値解を 3次元プロットする描画コ
    ード。
22
23  <<Lorenz, engine='python', fig.height=4, fig.widt
    h=4, fig.align = 'center', fig.cap = 'scipyを使う微
    分方程式の数値解'>>=
```

```
24  import numpy as np
25  import matplotlib.pyplot as plt
26  from mpl_toolkits.mplot3d.axes3d import Axes3D
27  from scipy.integrate import odeint
28
29  # lorenz system
30  def lorenz_system(x, t, p, b, r):
31      dxdt = -p * x[0] + p * x[1]
32      dydt = -x[0] * x[2] + r * x[0] - x[1]
33      dzdt = x[0] * x[1] - b * x[2]
34      return([dxdt, dydt, dzdt])
35  # parameters
36  p =10
37  b = 8.0 / 3.0
38  r = 28
39  # initial points
40  x0 = [0.1, 0.1, 0.1]
41  # setting
42  t0 = 0# initial time
43  T = 50# final time
44  dt = 0.01#差分刻
45  times = np.arange(t0, T, dt)
46  args = (p, b, r)
47  orbit = odeint(lorenz_system, x0, times, args)
48  #plot using matplotlib
49  fig = plt.figure()
50  ax = fig.gca(projection='3d')
51  ax.plot(orbit[:, 0], orbit[:, 1], orbit[:, 2], lin
    ewidth=0.5)
52  ax.set(xlabel='x(t)', ylabel='y(t)', zlabel='z(
    t)')
53  plt.show()
54  @
55  \end{document}
```

　LaTeX 文書に一連のコードとその結果を自動的に取り込むことによって、作成する文書自体の表現力と内容を高めることができました。ここでは数式処理システムとして Sage-Math、また R や Pythoin のコードを埋め込んでおいて組版時に実行してその結果を文書の一部として取り込むコードチャンクの方法を紹介しました。

　もちろん、ここで紹介した詳細を覚える必要はありませんが、LaTeX でこのような文書作成が可能であることもぜひ知っておいていただければと思います。実際に文書を作成する際には、参考文献に紹介した書籍や [4] などインターネットを通じて調べたり経験を重ねることによって、多くのことがらが LaTeX を使って書けるようになるはずです。

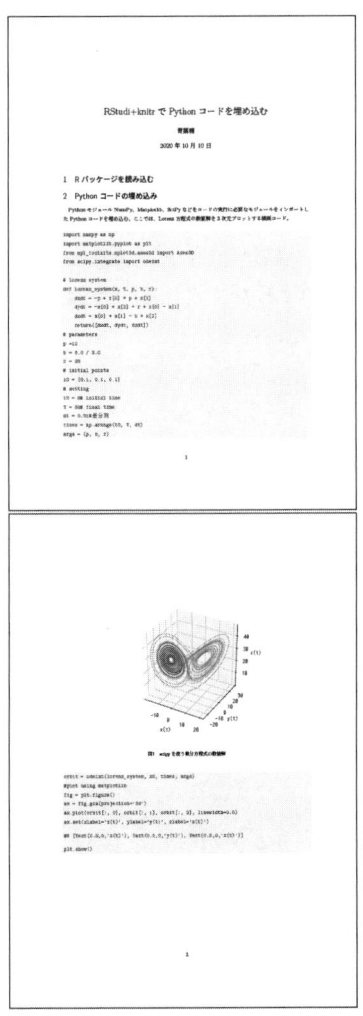

図 11.4 Python コードを埋め込んだファイル `lorenz.Rnw` から得られた LaTeX 文書

付録 A LATEX のインストール

　クラウドサービスを使わずに LATEX 文書を作成するには TEX 環境をパソコンにインストールします。

　さらに、TEX 処理システムを利用した**統合環境**（エディタ機能に加えて組版作業が GUI 化されたアプリケーション）をあわせてインストールすると専門的知識を必要とせずに手軽に LATEX を利用できるようになります。

　ここでは、世界的に普及している配布形態である TeX Live によるインストールを紹介します。TeX Users Group が管理する TeX Live https://www.tug.org/texlive は日本語化を含む TEX の集大成で、ライセンス上制約のない範囲で LATEX に必要なすべてが提供されています。

　詳しい情報については、日本の TEX に関して多くの情報が集約されている TEX Wiki [4] https://texwiki.texjp.org などを参照してください。

A.1　TeX Live のインストール

　ここでは Windows パソコンにインストールする例を紹介します。統合環境 TeXworks も合わせてインストールされます。

　まずは、TeX Live のダウンロードページ
https://www.tug.org/texlive/acquire-netinstall.html
から install-tl-windows.exe をダウンロードしてクリックするか、または install-tl.zip をダウンロードして展開後に install-tl-windows.bat をクリックして TeX Live のインストーラーを起動します。

　図 A.1 の画面で「Install」にチェックがあることを確認して [Next] を押します。

　次に表示される図 A.2 で [install] を押すとインストール（の準備）が開始されます。ここからインストールの完了までにはかなりの時間（1〜2 時間）がかかります。時間的に余裕があるときに行うのがよいでしょう。

　図 A.3 ではインストールに必要な情報をインターネットを通して準備しています。この段階でファイルをダウンロードするサイト（リポジトリ）を選ぶことができます。この例では北陸先端科学技術大学院大学（JAIST）になっています。

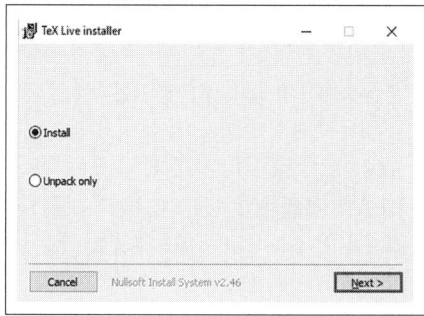

図 A.1 インストーラーの起動画面

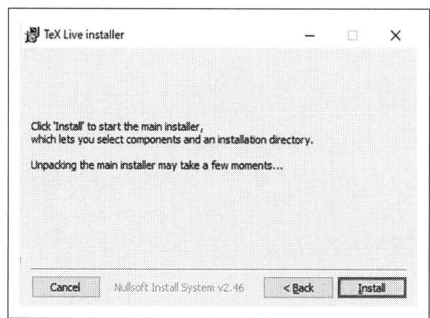

図 A.2 インストールの開始

図 A.3 リポジトリの選択

図 A.4 が表示されると、ようやく準備が整いました。[イ
ンストール] を押します。ここから、ファイルのダウンロー
ドが始まりインストール作業が行われます。

　ここから先は、統合環境まで自動的にインストールが続け
られます。図 A.5 の画面では 4010 個中 9 個目のファイル
までダウンロードとインストールが進んでいます。

　図 A.6 まで画面が進み、「TeX Live へようこそ！」のメッ
セージが表示されていたらインストールは成功です。[閉じ
る] を押します。

macOS にインストールするには TeX Live の mac 専用
版 Mac TeX http://tug.org/mactex/ を使います（統
合環境 TeXShop も合わせてインストールされます）。

図 A.4 準備完了

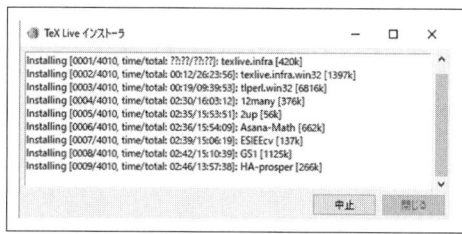

図 A.5 ファイルのダウンロード中

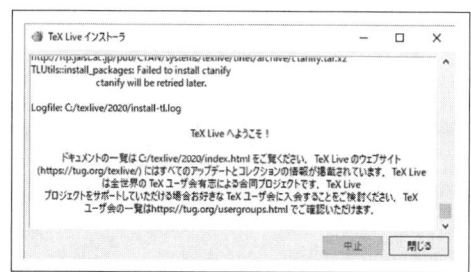

図 A.6 インストール完了

A.2 TeXworks を使ってみる

TeX Live のインストールが完了すると、Windows では
「スタートメニュー」に統合環境アプリケーション TeXworks
も設定されています（図 A.7）。

まず、TeXworks の動作設定を確認してみましょう。
「TeXworks editor」のアイコンをクリックして TeXworks
を起動します。

TeXworks が起動したら、まずは [編集] から [設定] を開
き、[エディタ] タブを選びます（図 A.8）。「行番号表示」に
チェックを入れ、エンコーディング（文字符号化）が UTF-8
であることを確認します。Shift_JIS で文書を書くこともで
きますが、文字集合の大きな UTF-8 で書くことをおすすめ
します。

図 A.7 スタートメニューの TeX Live 2020

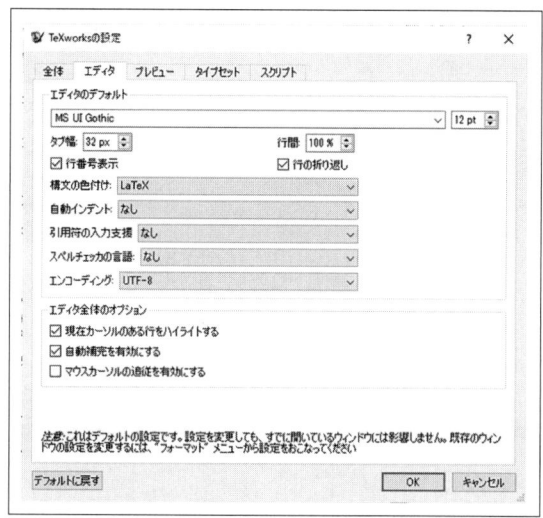

図 A.8 TeXworks の設定

図 A.9 では、TeXworks で新しくファイル main.tex を
作成してみました。Cloud LaTeX のサンプル（節 2.1）で提
供されるファイル main.tex の内容をそのままペーストし
たものです。ただし、画像の読み込み\includegraphics
の行頭だけを%を付けてコメントアウトしています。

　TeXworks のウィンドウ上部左にある矢印には「pLaTeX
（ptex2pdf）」と書いてあります。これをクリックするとコ
ンパイルが始まり、組版に成功すると自動的にプレビュー
ウィンドウが現れます。

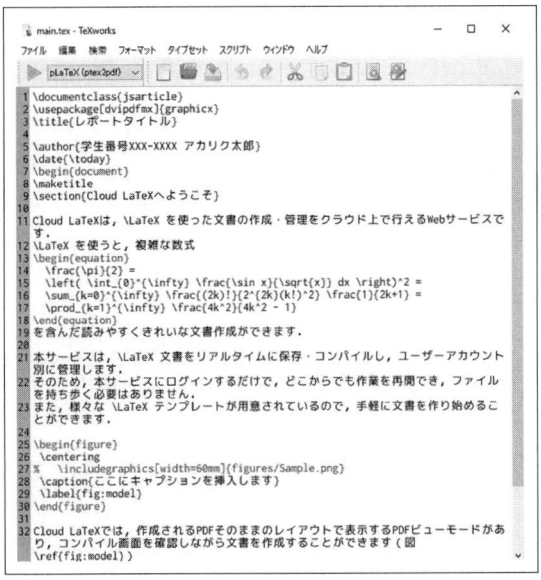

図 A.9 main.tex を開いた様子

図 A.10 TeXwoks のコンパイルボタン

　これで TeXworks を使って自在に ᴸᴬTEX 文書を書くことができるようになりました。

参考文献

[1] 奥村晴彦・黒木裕介『[改訂第 7 版]LaTeX2ε—美文書作成入門』, 技術評論社 (2017 年)

[2] 吉永徹美『LaTeX 2ε 辞典—用法・用例逆引きリファレンス』, 翔泳社 (2009 年)

[3] 坂東慶太『インストールいらずの LaTeX 入門』, 東京図書 (2019 年)

[4] TeX Wiki, https://texwiki.texjp.org

[5] F. Mittelbach, M. Goossens, et al., 'The LaTeX Companion (2nd Edition)', Addison-Wesley(2004)

[6] アスキー編集部監訳『The LaTeX コンパニオン』（第 1 版）, アスキー (1998 年)

[7] Donald E. Knuth『改訂新版 TeX ブック—コンピュータによる組版システム』, アスキー (1992 年)

[8] L. Lamport『文書処理システム LaTeX2ε』, ピアソンエデュケーション (1999 年)

[9] T. Tantau, J. Wright and V. Miletić, 'The beamer class', http://tug.ctan.org/macros/latex/contrib/beamer/doc/beameruserguide.pdf

[10] Till Tantau, 'TikZ & PGF', https://pgf-tikz.github.io/pgf/pgfmanual.pdf

[11] P. Zimmermann, A. Casamayouet, et al., 'Com-

putational   Mathematics   with   SageMath(2018)',
`http://sagebook.gforge.inria.fr/english.html`

[12] 高橋康介『ドキュメント・プレゼンテーション生成』,
共立出版（2014 年）

[13] 高橋康介『再現可能性のすゝめ—RStudio によるデー
タ解析とレポート作成』, 共立出版（2018 年）

索 引

N.D.C.007.63　　270p　　18cm

ブルーバックス　B-2145

LaTeX超入門
ゼロからはじめる理系の文書作成術

2020年7月20日　第1刷発行
2023年8月7日　第2刷発行

著者	みずたにまさひろ 水谷正大
発行者	髙橋明男
発行所	株式会社講談社
	〒112-8001　東京都文京区音羽2-12-21
電話	出版　03-5395-3524
	販売　03-5395-4415
	業務　03-5395-3615
印刷所	（本文印刷）株式会社新藤慶昌堂
	（カバー表紙印刷）信毎書籍印刷株式会社
本文データ制作	藤原印刷株式会社
製本所	株式会社国宝社

ISBN978－4－06－520496－2

発刊のことば

科学をあなたのポケットに

二十世紀最大の特色は、それが科学時代であるということです。科学は日に日に進歩を続け、止まるところを知りません。ひと昔前の夢物語もどんどん現実化しており、今やわれわれの生活のすべてが、科学によってゆり動かされているといっても過言ではないでしょう。

そのような背景を考えれば、学者や学生はもちろん、産業人も、セールスマンも、ジャーナリストも、家庭の主婦も、みんなが科学を知らなければ、時代の流れに逆らうことになるでしょう。

ブルーバックス発刊の意義と必然性はそこにあります。このシリーズは、読む人に科学的に物を考える習慣と、科学的に物を見る目を養っていただくことを最大の目標にしています。そのためには、単に原理や法則の解説に終始するのではなくて、政治や経済など、社会科学や人文科学にも関連させて、広い視野から問題を追究していきます。科学はむずかしいという先入観を改める表現と構成、それも類書にないブルーバックスの特色であると信じます。

一九六三年九月

野間省一